Une auteure est née…

Puis, sans crier gare, il a quitté le banc contre lequel il était adossé pour venir se braquer devant moi.

— Qu'est-ce que j'ai derrière le dos ? m'a-t-il demandé.

J'ai froncé les sourcils une seconde avant de répondre :

— C'est vert et rouge. Une pomme.

C'était comme si je l'avais vue dans ses mains.

Il a souri, et de petits plis se sont formés aux commissures de ses yeux dorés et expressifs. Ramenant sa main devant lui, il m'a tendu une belle pomme rouge et verte, avec une feuille toujours attachée à la tige.

Embarrassée et gênée, consciente que tous les yeux étaient rivés sur moi, j'ai pris la pomme et j'ai mordu dedans, priant pour que son jus ne me dégouline pas sur le menton.

— Tu as bien deviné, a dit Raven, de l'irritation dans la v

L'idée qu'elle devait avoir un énorme béguin pour Cal m'a traversé l'esprit.

— Ce n'était pas une devinette, a dit Cal doucement, sans cesser de me regarder.

Livre un

LE LIVRE DES OMBRES

Cate Tiernan

Traduit de l'anglais par
Lyse Deschamps

Copyright © 2001 17th Street Productions, Alloy compagnie et Gabrielle Charbonnet
Titre original anglais : Sweep : Book of shadows
Copyright © 2010 Éditions AdA Inc. pour la traduction française
Cette publication est publiée en accord avec Alloy Entertainment LLC, New York, NY

Éditeur : François Doucet
Traduction : Lyse Deschamps
Révision linguistique : Caroline Bourgault-Côté
Correction d'épreuves : Nancy Coulombe, Marie-Yann Trahan
Montage de la couverture : Tho Quan
Photo de la couverture : © istockphoto
Mise en pages : Sébastien Michaud
ISBN 978-2-89667-444-2
Première impression : 2010
Dépôt légal : 2010
Bibliothèque et Archives nationales du Québec
Bibliothèque Nationale du Canada

Éditions AdA Inc.
1385, boul. Lionel-Boulet
Varennes, Québec, Canada, J3X 1P7
Téléphone : 450-929-0296
Télécopieur : 450-929-0220
www.ada-inc.com
info@ada-inc.com

Diffusion
Canada :   Éditions AdA Inc.
France :   D.G. Diffusion
              Z.I. des Bogues
              31750 Escalquens — France
              Téléphone : 05.61.00.09.99
Suisse :   Transat — 23.42.77.40
Belgique :   D.G. Diffusion — 05.61.00.09.99

Imprimé au Canada

Participation de la SODEC. SODEC

Nous reconnaissons l'aide financière du gouvernement du Canada par l'entremise du Programme d'aide a
développement de l'industrie de l'édition (PADIÉ) pour nos activités d'édition.
Gouvernement du Québec — Programme de crédit d'impôt pour l'édition de livres — Gestion SODEC.

Catalogage avant publication de Bibliothèque et Archives nationales du Québec et Bibliothèque
et Archives Canada

Tiernan, Cate

    Le livre des ombres
    (Sorcière ; 1)
    Traduction de: Book of shadows.
    Pour les jeunes de 12 ans et plus.
    ISBN 978-2-89667-137-3
    I. Therrien, Laurette. II. Titre.

'23.T53Li 2010   j813'.6   C2010-941068-8

À Christine et Marielle,
qui ont toujours été là pour moi

1

Cal Blaire

«Prends garde au sorcier et traite-le bien, car
ses pouvoirs dépassent les tiens.»
— *Sorcières, ensorceleurs et magiciens*
Altus Polydarmus, 1618

*Plus tard, je me souviendrai de cette journée comme
du jour où je l'ai rencontré. Je me rappellerai le
moment exact où il est entré dans ma vie. Je m'en
souviendrai toujours.*

J'avais enfilé des jeans et un T-shirt teint
à la ficelle. Bree Warren, ma meilleure amie,
portait un chemisier léger et une longue
jupe noire qui laissait entrevoir ses ongles

d'orteils au vernis violet. Comme toujours, elle était magnifique et très classe.

— Salut jeunette! a-t-elle lancé en me faisant la bise, même si nous nous étions vues la veille.

— On se revoit dans la classe de maths, ai-je dit à Janice Yutoh, avant de rattraper Bree au milieu de l'escalier d'entrée. Salut! On crève; il est censé faire froid le jour de la rentrée, non?

Il n'était pas encore 8 h 30, le soleil de septembre brûlait déjà de tous ses feux et l'air était lourd, humide et immobile. Malgré la chaleur, j'étais excitée, fébrile : une nouvelle année s'amorçait, et nous étions enfin en secondaire 4.

— Peut-être dans le Yukon, a répondu Bree. Tu es superbe, a-t-elle ajouté.

— Merci. Toi aussi.

Mesurant 1 m 80, Bree ressemble à un top modèle; toutes les filles l'envient et pourtant, elle mange tout ce qu'elle veut et pense que les régimes sont faits pour les lemmings. Ajoutez à cela des cheveux noirs et soyeux qu'elle confie au meilleur coiffeur de Manhattan, et qui retombent en cascades sur ses épaules. Partout où nous allons, elle fait tourner les têtes.

Ce qu'il y a avec Bree, c'est qu'elle sait qu'elle est splendide et elle adore ça. Elle ne dédaigne pas les compliments et ne se plaint jamais de son apparence. Sans être vaniteuse, elle ne réagit pas avec fausse modestie. Elle accepte simplement sa beauté et trouve ça cool.

Bree regardait notre vieux collège, dont les murs de briques rouges et les hautes fenêtres lambrissées trahissaient sa vocation première de palais de justice.

— Ils n'ont pas encore repeint les boiseries.

— Non. Ça alors, regarde Raven Meltzer. Elle a un nouveau tatouage, ai-je dit.

Raven est en secondaire 5 et c'est la fille le plus originale de l'école. Cheveux noirs teints, sept *piercings* sur le corps (en tout cas, sept *piercings* visibles), et maintenant, un cercle de flammes tatoué autour du nombril. Elle me fascine. Je me trouve tellement banale avec mes cheveux longs châtain clair, mes yeux foncés et un nez dont on pourrait gentiment dire qu'il est un peu « fort ». L'an dernier, j'ai grandi de 12 centimètres, si bien que je mesure maintenant 1 m 71. J'ai les épaules carrées, pas de hanches, et j'attends toujours la visite de la fée des seins.

Raven allait rejoindre ses amis à la cafétéria.

— C'est sa mère qui doit être fière ! ai-je dit méchamment ; mais dans le fond, j'admirais son audace.

— Comment se sent-on quand on se fout totalement de l'opinion des autres ?

— Qu'est-ce qui arrive à l'anneau qu'elle a dans le nez quand elle éternue ? a renchéri Bree, moqueuse.

À 8 h 30, Ethan Sharp avait déjà l'air complètement perdu, lorsque Raven lui a dit bonjour. En passant à côté d'elle, Chip Newton, le revendeur le plus fiable de l'école, qui est très fort en maths, bien plus fort que moi, lui a fait un petit salut discret, pendant que Robbie Gurevitch, mon meilleur ami après Bree, la gratifiait d'un sourire.

— C'est bizarre de voir Mary Kathleen ici, s'est exclamée Bree en se passant la main dans les cheveux.

— Elle va vite s'adapter, l'ai-je rassurée.

Ma petite sœur semblait s'amuser ferme en compagnie de sa bande de copines. Bien faite et pulpeuse, Mary K. paraît plus mûre que les autres élèves de secondaire 3. Tout est facile pour elle. Toujours sexy mais pas trop, elle est jolie, sans fla-flas ; elle réussit bien sans récolter des notes parfaites et elle a des tas d'amis. Bref, tout le monde l'adore, même moi. Impossible de faire autrement.

— Salut bébé, a fait Chris Holly en s'approchant de Bree. Salut Morgan, a-t-il ajouté, avant de se pencher pour embrasser Bree sur les lèvres.

— Salut Chris. Prêt pour la rentrée ?

— Maintenant je le suis, a-t-il répondu, en jetant à Bree un regard lascif.

— Bree ! Chris ! criait Sharon Goodfine avec de grands gestes de la main qui faisaient cliqueter ses bracelets en or.

Sans lui demander son avis, Chris a saisi la main de Bree pour l'attirer dans le cercle de Sharon et de leur petite clique : Jenna Ruiz, Matt Adler, Justin Bartlett.

— Tu viens ? m'a demandé Bree qui était restée en arrière.

— Non, merci, ai-je répondu en faisant la grimace.

— Morgan, ils t'aiment bien, m'a chuchoté Bree qui, comme toujours, avait lu dans mes pensées.

Elle avait lâché la main de Chris et attendait que je me décide. Elle savait que je ne me sentais pas à l'aise avec sa bande.

— Ça va, ai-je répondu. Il faut que je parle à Tamara de toute façon.

Elle a hésité un instant avant de dire :

— OK, on se revoit en classe.

— À tout à l'heure.

Bree s'était retournée mais elle était restée figée, bouche grande ouverte, comme un élève à qui on aurait demandé de jouer la stupeur dans un cours de théâtre. En suivant son regard, j'ai aperçu un garçon qui grimpait les marches du collège.

C'était comme dans un film, lorsque l'image devient floue, que tout le monde retient son souffle et que tout se passe au ralenti pendant que vous essayez de suivre l'intrigue. Voilà l'effet que ça faisait de regarder Cal Blaire gravir les marches de notre école.

Évidemment, à ce moment-là, j'ignorais que c'était Cal Blaire.

Bree s'est tournée vers moi, les yeux écarquillés.

— C'est *quoi* ce garçon? a-t-elle fini par articuler.

J'ai secoué la tête comme pour m'assurer que ce n'était pas un mirage. Machinalement, j'ai mis la main sur mon cœur qui battait la chamade, pour tenter de le calmer.

Le nouveau venait vers nous avec une assurance que je lui enviais, d'autant que toutes les têtes s'étaient retournées sur son passage. Il nous a souri et j'ai eu l'impression de voir le soleil émerger de derrière les nuages.

— Le bureau du directeur adjoint, c'est bien par là?

Des beaux gars, j'en avais vus. Chris, le copain de Bree, est plutôt mignon. Mais ce garçon était… époustouflant. Des cheveux brun foncé ébouriffés, comme s'il se les était coupés lui-même, un nez parfait, un beau teint olive et des yeux dorés fascinants et sans âge. Je mis un certain temps avant de me rendre compte que c'était à nous qu'il s'adressait.

Je le regardais, l'air stupide, mais Bree, l'oeil pétillant de convoitise, a tout de suite réagi en pointant du doigt la porte la plus proche :

— C'est tout droit, puis à gauche. C'est rare qu'on change d'école en secondaire 5, non ? a-t-elle poursuivi, en jetant un œil sur la feuille qu'il lui tendait.

— Ouais, a-t-il répondu avec un demi-sourire. Je m'appelle Cal. Cal Blaire. Je viens de déménager ici avec ma mère.

— Je suis Bree Warren, a dit mon amie, en faisant un geste de la main dans ma direction. Et voici Morgan Rowlands.

Je n'ai pas bougé d'un poil. J'ai battu des cils en essayant de sourire.

— Allô ! ai-je fini par dire presque tout bas.

J'avais l'impression d'avoir cinq ans. Je ne sais jamais comment parler aux garçons, et cette fois-ci ma gaucherie me gênait doublement, comme si j'essayais de me tenir debout dans la tempête.

— Êtes-vous en secondaire 5 ?

— Non, en 4, a répondu Bree comme pour s'excuser.

— Dommage. On n'aura pas de cours ensemble.

— Euh, il se peut que tu revoies Morgan, a repris Bree avec un petit rire niais qui ne lui valait rien. Elle est en 5e pour les sciences et les maths.

— Super ! a fait Cal en m'adressant un sourire. Je dois y aller, mais on se revoit plus tard.

— Ciao ! a murmuré Bree, tout excitée.

Aussitôt Cal disparu derrière la porte en bois, Bree m'a agrippé le bras.

— Morgan, ce gars est beau comme un dieu ! Tu te rends compte : il va passer l'année ici !

...stant d'après, les amis de Bree faisaient cercle autour de nous.

— C'est qui? s'est informée Sharon,
pendant que Suzanne Herbert la bouscu-
lait pour se rapprocher de Bree.

— Il est inscrit ici? a demandé Nell
Norton.

— Est-il hétéro? réfléchissait à haute
voix Justin Bartlett.

Justin était sorti du placard, à la fin du
primaire.

Chris était resté à l'écart, l'air renfrogné.
Pendant que Bree rapportait notre maigre
conversation, j'en ai profité pour m'éloigner.
Je me suis dirigée vers la porte d'entrée et
en déposant ma main sur la lourde poignée
en laiton, j'aurais pu jurer que je sentais
encore la chaleur de la main de Cal.

Une semaine plus tard, mon cœur se
serrait chaque fois que j'entrais dans la
classe de physique et que je voyais Cal assis
derrière un vieux pupitre en bois. C'était
un vrai miracle. Aujourd'hui, il discutait
avec Alessandra Spotford.

— Tu dis que c'est comme un festival des moissons et que ça se passe à Kinderhook ? lui a-t-il demandé.

Alessandra avait l'air complètement pâmée, le sourire fendu jusqu'aux oreilles.

— Mais c'est en octobre. Chaque année, on apporte nos citrouilles, expliquait-elle en jouant avec ses cheveux à la manière des grandes séductrices.

Je me suis assise et j'ai ouvert mon cahier. En une semaine, Cal était devenu le garçon le plus populaire de toute l'école. Qu'est-ce que je raconte : populaire... c'était une star ! Même les garçons l'aimaient. Pas Chris Holly cependant, ni ceux dont les petites amies salivaient en voyant passer Cal, mais la plupart le trouvaient sympathique.

— Et toi Morgan, est-ce que tu participes au festival des moissons ? m'a demandé Cal en se tournant vers moi.

L'air décontractée, j'ai fait un signe de tête tout en ouvrant mon livre, mais j'étais toute retournée de l'entendre prononcer mon nom.

— On y va presque tous. Il n'y a pas grand-chose à faire par ici, à moins d'aller à New York, mais c'est à deux heures de route.

Comme nous avions des cours de physique et de maths ensemble à chaque jour, Cal s'était adressé à moi à plusieurs reprises durant la semaine, et à chaque fois, j'avais répondu avec un peu plus de naturel.

Il s'est tourné pour me faire face et, pendant un court instant, mon regard a croisé le sien. Je ne faisais jamais ça, de peur que mes cordes vocales cessent de fonctionner. Aussitôt, j'ai senti ma gorge se serrer.

Qu'avait-il donc ce garçon, pour me mettre dans cet état ? Eh bien, oui, il était beau à mourir, mais c'était plus que ça : il était différent des autres gars que je connaissais. Lorsqu'il me regardait, il me regardait vraiment. Il ne balayait pas la pièce du regard à la recherche de copains ou de la première jolie fille venue. Il ne fixait pas mes seins non plus. De toute façon, il aurait perdu son temps... Il ne se prenait pas pour un autre et il avait l'air d'aimer tout le monde. Il s'intéressait à

Tamara qui, comme moi, suivait les cours enrichis, avec le même intérêt qu'il portait à Alessandra, ou à Bree, ou à n'importe quelle autre beauté qui fréquentait le collège.

— Alors, qu'est-ce que tu fais pour t'amuser?

J'ai baissé les yeux car je n'avais pas l'habitude qu'on s'intéresse à moi. Normalement, les beaux garçons m'adressaient la parole uniquement pour me demander de faire leurs devoirs.

— Je ne sais pas. On sort. On discute entre amis. On va au cinéma.

— Quel genre de films aimes-tu? Il s'était penché vers moi comme si j'étais la fille la plus passionnante au monde, et il ne me lâchait pas des yeux.

J'hésitais. J'étais mal à l'aise et j'avais la bouche sèche.

— N'importe quoi, j'aime tous les genres de films.

— C'est vrai? Moi aussi. Il faut que tu me dises quels sont les bons cinémas en ville. Je cherche encore mes repères.

Avant que je puisse dire oui ou non, il m'a souri et s'est retourné. Le Dr Gonzalez venait d'entrer dans la salle de classe. Il avait déposé sa lourde serviette et avait commencé l'appel.

Je n'étais pas la seule à succomber au charme de Cal. Il semblait aimer tout le monde, s'assoyait avec l'un puis avec l'autre, ne semblait pas avoir de favoris. Je savais qu'au moins quatre copines de Bree crevaient d'envie de sortir avec lui mais, jusqu'ici, aucune n'avait mis le grappin dessus. Je savais aussi que Justin Bartlett était fou d'amour pour lui.

2

J'aimerais

« Méfie-toi de la sorcière. Elle t'enveloppera de magie noire pour te faire oublier d'où tu viens, qui tu aimes, qui tu es, et jusqu'aux traits de ton visage. »

— *Conseils de prudence*
Terrance Hope, 1723

— Avoue qu'il est canon, insistait Bree, penchée sur le comptoir de la cuisine.

— Bien sûr que je le trouve beau, je ne suis pas aveugle, ai-je répondu en ouvrant une boîte de conserve. C'était mon tour de préparer le repas. J'avais disposé des pilons de poulet dans un grand plat en pyrex. J'y avais versé une boîte de crème d'artichauts

15

et une boîte de crème de céleri, et tout un pot de cœurs d'artichauts marinés. Voilà pour le souper.

— Mais il m'a l'air pas mal volage, ai-je poursuivi. Avec combien de filles est-il sorti depuis deux semaines?

— Trois, a dit Tamara Pritchett, assise sur un banc du coin-repas, en étirant son long corps gracile.

On était lundi après-midi et notre troisième semaine de cours s'amorçait. Je n'exagère pas en disant que l'arrivée de Cal Blaire dans un patelin tranquille comme le nôtre était l'événement le plus excitant à se produire depuis l'incendie qui avait rasé le cinéma Milhouse, deux ans plus tôt.

— Morgan, c'est quoi ce mélange?

— Poulet à la Morgan. Délicieux et nutritif, ai-je affirmé en avalant une grande lampée de cola bien froid. Ahhh...

— Expliquez-moi pourquoi un gars qui sort avec plusieurs filles passe pour un coureur, alors que pour les filles, on dit seulement qu'elles sont difficiles? J'aimerais bien comprendre, a dit Robbie.

— Ce n'est pas vrai, a protesté Bree.

— Allô les filles! Salut Rob! a dit papa en entrant dans la cuisine, le regard perdu derrière ses verres épais.

— Il portait son éternel uniforme : pantalon kaki, chemise à manches courtes, à cause de la chaleur, sur un T-shirt blanc. Même chose l'hiver, sauf pour la chemise dont les manches sont longues, et le veston en tricot.

À l'unisson, Robbie et Tamara ont dit bonjour à papa, tandis que Bree lui adressait un petit salut de la main.

L'air absent, papa a regardé autour de lui comme pour s'assurer qu'il était bien dans sa cuisine. Puis, il nous a souri et est ressorti. Bree et moi nous sommes regardées en souriant, sachant que nous allions le voir réapparaître dès qu'il se rappellerait ce qu'il était venu chercher. Papa travaille en recherche et développement chez IBM. Ses employeurs pensent que c'est un génie mais, dans le quartier, on le perçoit davantage comme un enfant un peu lent. Il n'a aucune notion du temps.

J'ai recouvert le poulet de papier alumi-
nium, puis j'ai épluché quatre pommes de
terre dans l'évier.

— Je suis contente que ma mère cuisine, a dit Tamara. Mais pour revenir à Cal,
il est sorti avec Suzanne Herbert, Raven
Meltzer et Janice, a-t-elle énuméré, en
comptant sur ses doigts.

— Janice Yutoh? me suis-je écriée en
mettant mon plat au four. Elle ne m'en a
même pas parlé! On peut dire qu'il goûte à
tout, non?

— Il ne s'ennuie pas, a dit Robbie en
remontant ses lunettes sur son nez.

Robbie est mon ami depuis longtemps.
Je ne le remarque presque plus maintenant,
mais il a un terrible problème d'acné. Il était
supermignon avant la puberté Ce doit être
dur pour lui.

Bree a froncé les sourcils.

— Je ne vois pas ce qu'il peut trouver à
Janice. À moins qu'elle ne l'ait aidé à faire
ses devoirs.

— Janice est très jolie, ai-je rétorqué.
Mais elle est tellement timide qu'elle passe
inaperçue. Moi, ce que je m'explique mal,

c'est qu'il se soit intéressé à Suzanne Herbert.

En entendant cela, Bree a failli s'étouffer.

— Suzanne est une vraie bombe ! Elle a été mannequin pour Hawaiian Tropic l'année dernière !

— Elle ressemble à une Barbie, et elle a le cerveau qui va avec, ai-je répliqué méchamment en esquivant un raisin lancé par Bree.

— On ne peut pas toutes gagner la médaille du mérite académique, a lancé Bree sans complaisance. Vous oubliez Raven. Elle traite les gars comme de vieux Kleenex.

— Oh, et toi, tu es un modèle de stabilité peut-être, l'ai-je taquinée à mon tour.

Un raisin est venu rebondir sur mon bras.

— Chris et moi sommes ensemble depuis presque trois mois !

— Et ? a fait Robbie.

J'ai vu passer, sur le visage de Bree, une pointe d'orgueil mélangée à un certain embarras.

— D'accord, il commence à m'embêter, a-t-elle avoué.

On a ri, Tamara et moi, et Robbie a ronchonné.

— Je suppose que tu es seulement difficile, a-t-il ajouté.

— OK, a dit Bree en ouvrant la porte. Il faut que j'y aille avant que Chris ne parte à ma recherche. « T'étais où ? », l'a-t-elle imité, en levant les yeux au ciel. Puis, elle est partie. On a entendu rugir le moteur de « Brise », sa BMW. En moins de deux, elle tournait le coin de la rue.

— Pauvre Chris, a dit Tamara, en ajustant le bandeau sur ses cheveux bouclés.

— J'ai l'impression que son règne achève, a dit Robbie en sirotant son soda.

J'ai sorti un sac de salade et l'ai ouvert avec mes dents.

— Eh bien, il aura duré plus longtemps que les autres.

— T'as raison, il a battu le record, a affirmé Tamara en riant.

Ma mère venait d'entrer par la porte arrière, les bras chargés de documents, de dépliants et de pancartes. Sa veste était froissée, et il y avait une tache de café sur sa poche. J'ai pris sa pile de documents et les ai déposés sur la table de la cuisine.

— Marie, mère de Dieu, a-t-elle marmonné. Quelle journée. Allô Tamara ! Salut Robbie ! Ça va vous deux ? Et les cours ?

— Bien, merci, Madame Rowlands, a répondu Robbie.

— Et vous ? a demandé Tamara. Vous bossez dur on dirait ?

— On pourrait dire ça, a répondu ma mère en soupirant, tout en suspendant sa veste derrière la porte.

Ensuite, elle s'est versé un verre de whisky.

— Bon, on ferait mieux d'y aller, a lancé Tamara en ramassant son sac à dos et en donnant un petit coup de pied sur la chaussure de Robbie. Allez viens, je te dépose. Au plaisir ! Madame Rowlands.

— À plus tard ! a lancé Robbie.

— Au revoir ! a fait ma mère, avant que la porte arrière ne se referme sur eux. Oh là là ! Robbie grandit à vue d'œil, s'est-elle exclamée en s'approchant pour m'embrasser. Ça va chérie ? Ça sent bon ici. C'est ton poulet à la Morgan ?

— Ouais ! Avec pommes au four et pois congelés.

— Chouette, a-t-elle ajouté en prenant une gorgée de whisky.

— Tu m'en donnes une gorgée ?

— Non, mademoiselle ! a répondu ma mère comme d'habitude. Bon, je vais me changer avant de mettre la table. Mary K. est là ?

— Elle est en haut, avec une partie de son *fan club*.

— Garçons ou filles ?

— Les deux, je crois.

Maman a hoché la tête et est montée à l'étage. Je savais que les garçons, à tout le moins, allaient bientôt déguerpir.

Le lendemain, à l'heure du lunch, nous étions assis en rond sur la pelouse du collège, quand Janice s'est approchée.

— Salut, je peux m'asseoir ? a-t-elle demandé en indiquant une place libre dans notre cercle.

— Bien sûr, a dit Tamara. On sera encore plus multiculturels. Tamara faisait partie des rares Afro-Américains dans notre école à majorité blanche, et elle n'avait pas peur d'en rire, en particulier avec Janice, à qui il arrivait de se sentir un peu à part en raison de ses origines asiatiques.

Janice s'est assise en tailleur, son cabaret en équilibre sur les genoux.

— Bon, maintenant, on veut tout savoir, ai-je dit. T'as certainement des nouvelles intéressantes à nous raconter?

Janice, qui avait déjà pris une bouchée de pain de viande, n'a pas eu l'air de comprendre mon allusion.

— Quoi? De quoi tu parles?

— Je parle de ton rendez-vous, ai-je précisé en haussant les sourcils.

— Oh! tu veux parler de Cal, a dit Janice en rougissant.

— Évidemment que je parle de Cal! ai-je fait, exaspérée. Je n'arrive pas à croire que tu aies gardé ça pour toi.

— Nous sommes sortis ensemble une fois seulement, le week-end dernier.

Tamara et moi attendions la suite.

— Pourrais-tu élaborer un peu, je te prie ? ai-je insisté au bout d'une minute. On est amies, oui ou non ? Tu es sortie avec le plus beau célibataire de la planète. On a le droit de savoir.

Janice semblait flattée et embarrassée à la fois.

— Ça n'avait rien de romantique. Il essaie plutôt de connaître les gens, l'endroit. On s'est promenés et on a beaucoup parlé ; il voulait tout savoir sur la ville, les gens…

Tamara et moi, nous nous regardions, incrédules.

— Hum… alors, il ne s'est rien passé ? ai-je dit finalement.

— Arrête de nous faire languir, a supplié Tamara qui n'en croyait pas un mot.

— Non, rien du tout. Nous sommes juste amis, a répété Janice en riant.

— Quand on parle du loup, a murmuré Tamara à voix basse.

J'ai levé les yeux et j'ai vu Cal qui venait vers nous, tout sourire.

— Salut, a-t-il dit en s'assoyant. Est-ce que je dérange ?

J'ai fait signe que non en avalant une gorgée de soda, tout en essayant d'avoir l'air décontractée.

— Alors, tu t'habitues au coin? a demandé Tamara. Widow's Vale est une petite ville; tu devrais t'y sentir chez toi assez rapidement.

Cal lui a souri et son visage surnaturel m'a émue comme à chaque fois. J'étais moins mal à l'aise qu'au début, car je m'étais habituée à réagir ainsi en sa présence.

— Oui. La ville est charmante et riche en histoire. J'ai l'impression de voyager dans le temps. Il effleurait la pelouse de sa main, et j'essayais de ne pas regarder, car j'avais une envie folle de toucher tout ce qu'il touchait.

— J'organise une petite fête samedi soir, est-ce que ça vous intéresse? a demandé Cal.

Nous étions toutes si étonnées que nous sommes restées muettes. Il faut une bonne dose de courage pour organiser une fête quand on vient d'arriver quelque part.

— Rowlands! a crié Bree du fond de la cour, avant de s'approcher et de s'asseoir avec grâce à côté de moi, en gratifiant Cal de son sourire le plus ravageur.

— Salut Cal.

— Salut, j'invite tout le monde à une fête samedi soir, a-t-il répété pour mon amie.

— Une fête! Quel genre de fête? Où? Qui sera là? a aussitôt questionné Bree, l'air de dire que c'était la meilleure idée qu'elle avait jamais entendue.

Cal a éclaté de rire en rejetant la tête en arrière, me laissant ainsi entrevoir sa pomme d'Adam et sa peau bronzée. Une médaille en argent, représentant une étoile à cinq branches entourée d'un cercle, pendait à son cou, au bout d'une cordelette de cuir usé. Je me demandais ce que cela pouvait symboliser.

— Si le temps le permet, la fête aura lieu dehors, a ajouté Cal. En fait, j'aimerais avoir la chance de parler à tout le monde en dehors de l'école. J'invite tous les élèves de quatrième et de cinquième secondaire.

— Sérieusement? a demandé Bree en levant ses sourcils impeccables.

— Bien sûr. Plus nous serons, mieux ce sera. J'ai pensé que nous pourrions nous réunir dehors. Il fait un temps magnifique et il y a un champ aux limites de la ville, passé le marché de la Tour. Nous pourrions nous asseoir, discuter, observer les étoiles…

Nous le regardions, incrédules. Les jeunes se réunissent au centre commercial, au cinéma ou dans un café. Mais jamais on ne s'était donné rendez-vous dans un champ désert.

— Ce n'est pas le genre de choses que vous avez l'habitude de faire, c'est ça ?

— Pas vraiment, a répondu Bree prudemment. Mais je trouve l'idée géniale.

— Parfait. Je tracerai un itinéraire précis et je l'imprimerai pour vous. J'espère que vous viendrez, a-t-il ajouté en se relevant lentement, avec une aisance tout animale.

J'aimerais qu'il soit à moi.

J'étais stupéfaite qu'une telle idée me soit passée par la tête. Je n'avais jamais ressenti cela pour personne. Et Cal Blaire était tellement mieux que moi, que cette pensée me paraissait stupide, presque pathétique. J'ai secoué la tête pour la chasser au plus vite, car cela ne rimait à rien. Je me disais : oublie ça, oublie ça !

Après son départ, mes amies étaient tout excitées à l'idée de cette fête hors du commun.

— C'est quoi cette fête ? s'interrogeait Tamara à haute voix.

— Je me demande s'il y aura de la bière, quelque chose à boire, a fait Bree.

— Je pense qu'on part en week-end avec mes parents, a dit Janice, l'air mi-désappointée, mi-soulagée.

Cal faisait le tour de toutes les cliques pour les inviter à cette fête, et nous le suivions des yeux. Étonnamment, il se mêlait sans aucun problème à chaque bande qu'il approchait. En compagnie des *bollées*, comme moi, Tamara et Janice, il était parfaitement crédible dans son rôle de brillant premier de classe. Avec les amis de Bree, il avait l'air décontracté et sexy ; il donnait même le ton. Et aux côtés de Raven et de Chip, je l'imaginais très bien en train de fumer son joint tous les jours, à la fin des classes. C'était fascinant de le voir si à l'aise avec tout le monde.

D'une certaine manière, je lui enviais cette facilité, moi qui ne suis à l'aise qu'avec mes meilleurs amis. En fait, mes deux meilleurs amis, Bree et Robbie, je les connais depuis la petite enfance car, à l'époque, nous habitions le même immeuble. C'était avant que la famille de Bree ne déménage dans une maison cossue, avec vue sur la rivière, et bien avant que nous ne fassions partie de cliques différentes. Au collège, Bree et moi étions deux des seules personnes à être restées proches, tout en appartenant à des groupes différents.

Cal était... universel, pour ainsi dire. Et même si cela me rendait nerveuse, je voulais aller à cette fête.

3

Le cercle

« Ne sors pas la nuit tombée, car chaque phase lunaire favorise les sorciers. Reste chez toi jusqu'à ce que la lumière du jour éclaire le ciel et repousse le mal dans sa tanière. »

— *Notes d'un serviteur de Dieu*
Frère Paolo Federico, 1693

J'ai lancé mon filet. Priez pour que je réussisse, que j'augmente notre nombre et trouve ceux que je cherche.

La lumière du porche projetait une ombre sur le parterre. Devant moi, sur la pelouse sèche et craquante de l'automne, un moi plus petit, plus sombre, avançait vers ma voiture.

— C'est quoi le problème avec Brise ? ai-je demandé.

— Elle fait un drôle de bruit, a répondu Bree.

J'ai levé les yeux au ciel. Il y avait toujours un problème avec la luxueuse voiture de Bree. Comme quoi on a beau payer cher...

J'ai pris place sur le siège de vinyle gelé de « Das Boot », ma vieille Valiant 1971 blanche. C'est mon père qui l'a appelée ainsi. Il dit qu'elle est plus lourde qu'un sous-marin et puis *Das Boot* — bateau en allemand — est son film préféré. Bree est montée et a envoyé la main à papa qui sortait les vidanges.

— Conduis prudemment, ma chérie, a lancé papa.

En démarrant, j'ai regardé le ciel. J'ai eu juste le temps d'apercevoir un mince croissant de lune, car un tas de nuages la masquait déjà, faisant du même coup apparaître les étoiles au loin.

— Vas-tu enfin me dire où est Chris, ai-je demandé à Bree en tournant sur Riverdale Drive.

— Je lui ai dit que j'avais promis de t'accompagner.

— Non. Ne me dis pas que tu as prétendu que j'avais peur de conduire seule le soir.

— Désolée, mais il est tellement possessif. Pourquoi les garçons sont-ils tous ainsi ? Tu sors avec eux deux ou trois fois, et la première chose que tu sais, tu leur appartiens. Tourne à droite sur Westwood, a-t-elle ajouté en frissonnant, même s'il ne faisait pas très froid.

La rue Westwood menait vers le nord, en dehors de la ville.

Bree défroissait la feuille de papier indiquant les directions.

— Je me demande comment ce sera. Cal est vraiment… différent, tu ne trouves pas ?

— Euh ! ai-je marmonné avant de prendre une gorgée d'eau de Seltz, histoire de laisser mourir la conversation. Sans pouvoir m'expliquer pourquoi, j'hésitais à parler de Cal avec Bree.

— On y est, a dit Bree tout excitée, quelques minutes plus tard.

— Arrête! Elle débouclait déjà sa ceinture de sécurité et attrapait son sac en mailles.

— Bree, ai-je dit poliment, regarde autour de toi. On est au milieu de nulle part et ça me fout la trouille.

Techniquement, cela va de soi, on est toujours quelque part. Mais cette route déserte en périphérie de la ville avait plutôt un air de nulle part. Sur la gauche, des champs de maïs à perte de vue, en attente d'être moissonnés. Sur la droite, une large bande de terre en friche, bordée d'une forêt dense formant un V immense aux bords irréguliers.

— Le plan dit de nous garer sous cet arbre, a expliqué Bree pour me rassurer. Allons-y.

J'ai ramené Das Boot sur le bas-côté et l'ai laissée avancer lourdement jusqu'à ce qu'elle s'immobilise sous un gros chêne. C'est à ce moment-là que j'ai aperçu au moins sept autres voitures, invisibles de la route.

La VW Beetle rouge de Robbie, facilement reconnaissable, luisait comme une coccinelle géante, tandis que le *pickup* blanc de Matt Adler, le VUS de Sharon et la fourgonnette du père de Tamara étaient bien alignés à côté des autres. Garés maladroitement autour des premières : l'épave noire de Raven Meltzer, une Explorer couleur or, qui devait appartenir à Cal, et un monospace vert qui appartenait sans doute à Beth Nielson, la meilleure amie de Raven. Je ne voyais personne, mais il y avait un sentier battu menant à une éclaircie derrière la rangée d'arbres.

— Je suppose qu'il faut aller par là, a suggéré Bree, tout à coup moins sûre d'elle.

J'étais contente qu'elle soit là avec moi et pas avec Chris. Seule, je n'aurais jamais eu le courage d'aller plus loin.

Pendant que nous suivions le sentier, une petite brise fraîche me caressait les cheveux. En arrivant à la lisière des arbres, Bree a pointé le doigt, mais je ne voyais pas grand-chose dans le noir. Puis, droit devant, j'ai aperçu une lueur et des ombres agglutinées autour d'un feu bordé de pierres. J'ai entendu des petits rires étouffés et humé le parfum exquis du charbon de bois. Soudain, cette fête en plein air m'a semblé être une idée de génie.

Nous avancions prudemment, quand Bree a poussé un juron; ses sandales à semelles compensées n'étaient pas très appropriées pour ce genre d'excursion. Mes vieux baskets faisaient joyeusement crisser les brindilles sous mes pas. Je me suis retournée brusquement en entendant un gros bruit derrière nous. Ethan et Alessandra étaient à quelques mètres derrière nous.

— Prends garde! a crié Alessandra à Ethan. J'ai reçu cette branche dans l'œil.

Nous étions arrivées dans la clairière. Je suis allée rejoindre Tamara, Robbie et Ben Reggio qui est dans mon cours de latin, tandis que Bree s'était rapprochée de Sharon, Suzanne, Jenna et Matt. Les flammes projetaient une belle lueur dorée sur tous les visages, si bien que les filles étaient plus jolies que d'habitude et que les gars paraissaient plus matures et mystérieux.

— Où est Cal ? s'inquiétait Bree, lorsque Chris Holly, accroupi près de la glacière, s'est levé pour lui faire face, bière à la main.

— En quoi ça te regarde ? a-t-il demandé sur un ton désagréable.

Agacée, elle a passé nerveusement les doigts dans ses cheveux.

— Le voici.

Cal venait d'apparaître à la lisière de la forêt. Il portait un gros panier en osier, qu'il a déposé près du feu.

— Salut, a-t-il lancé à la ronde, en souriant. Merci d'être venus. J'espère que le feu vous gardera au chaud.

Je m'imaginais blottie contre lui, son bras autour de mes épaules, la chaleur de sa peau s'insinuant lentement à travers mon polar. J'ai fermé les yeux et l'image s'est dissipée.

— J'ai apporté de quoi boire et manger, a-t-il ajouté en se penchant pour ouvrir son panier. Il y a des noix, des croustilles, du pain de maïs. Et des boissons dans les glacières.

— J'aurais dû apporter du vin, a dit Bree.

Quand Cal lui a souri, je me suis demandé s'il la trouvait belle.

Pendant la demi-heure qui a suivi, nous avons bavardé, assis autour du feu. Nous devions être une bonne vingtaine. Pour ceux qui, comme moi, n'aimaient pas la bière, Cal avait apporté un délicieux cidre de pomme à la cannelle.

Chris s'était assis à côté de Bree et il la tenait fermement par les épaules. Mon amie m'envoyait des coups d'œil exaspérés. Nous étions si proches Tamara, Ben et moi, que nos genoux se touchaient. De temps en temps, la voix de Cal me parvenait, fraîche et limpide comme l'air du soir.

— Je suis content que vous soyez tous là ce soir, a-t-il dit en venant s'asseoir près de moi. Il parlait fort pour que tout le monde l'entende. Ma mère connaissait des gens d'ici avant que nous déménagions, si bien qu'elle a déjà des tas d'amis, mais j'ai pensé qu'il me faudrait célébrer moi-même Mabon.

— C'est quoi Mabon ? s'est empressée de demander Bree, tout sourire.

— Mabon, c'est un sabbat wicca qui a lieu ce soir. C'est l'équinoxe d'automne, une date importante pour les adeptes de la Wicca.

On aurait pu entendre une feuille tomber. Nous étions tous pendus à ses lèvres et à son beau visage doré, couleur de flamme, semblable à un masque. Personne ne disait mot.

Cal était conscient de notre surprise, mais il n'avait l'air ni embarrassé, ni emprunté. Il a mordu dans une pomme avant de poursuivre.

— D'habitude, à la nuit de Mabon, on forme un cercle et on rend grâce à la nature pour les récoltes. Après Mabon, on amorce les préparatifs pour fêter Samhain.

— Samane ? a tenté Jenna Ruiz timidement.

— *S-a-m-h-a-i-n*, a pris la peine d'épeler Cal. C'est notre plus importante fête, le nouvel an des sorciers. Le 31 octobre, ce que tout le monde appelle Halloween.

Tout le monde gardait le silence ; on entendait seulement le crépitement des bûches dans les flammes. Chris a été le premier à ouvrir la bouche.

— Et alors quoi ? a-t-il demandé en riant nerveusement. T'es en train de nous dire que t'es un sorcier ?

— En fait, je pratique une forme de Wicca.

— Tu es dans une secte satanique ? s'est inquiétée Alessandra en faisant une drôle de moue.

— Pas du tout, a répondu Cal, sans s'énerver. Le diable ne fait pas partie de la Wicca. C'est sans doute la religion la plus tolérante qui soit. Tout ce qu'on veut, c'est célébrer la nature, lui rendre grâce.

Alessandra avait l'air sceptique.

— Bon, a repris Cal, j'espérais que vous accepteriez de former un cercle avec moi ce soir.

Silence.

Voyant la surprise et l'inconfort sur la majorité des visages, Cal nous observait, sans pour autant exprimer le moindre regret.

— Écoutez, Ce n'est pas la fin du monde. Ce n'est pas parce que vous formez un cercle que vous adhérez à la Wicca et que vous reniez votre religion. Si ça ne vous dit rien, tant pis. J'ai cru que vous pourriez trouver l'expérience excitante.

J'ai regardé Tamara : elle avait les yeux ronds comme des billes. Bree s'est tournée vers moi, et nous avons échangé un regard entendu. Oui, nous étions surprises et sceptiques, mais nous étions aussi totalement fascinées. Je lisais, dans les yeux de Bree que cela l'intéressait, qu'elle était curieuse d'en apprendre davantage. Et j'étais d'accord.

— Qu'est-ce que tu veux dire par former un cercle ? ai-je demandé, d'une voix que j'ai eu du mal à reconnaître pour mienne.

— On forme un cercle, on se tient par la main et on rend grâce à la Déesse et au Dieu pour les récoltes. C'est une célébration du printemps et de l'été, de la fertilité et des moissons. On se prépare ainsi à accueillir le dur hiver.

— Tu blagues, a dit Todd Ellsworth, en avalant une gorgée de bière.

Cal l'a regardé droit dans les yeux, sans ciller.

— Non, pas du tout. Mais tu as le droit de te retirer.

— Merde, il parle sérieusement, a lancé Chris à la ronde.

Bree l'a repoussé et il l'a regardée d'un air mauvais.

— De toute façon, a dit Cal en se levant, il est presque 22 h. Ceux qui désirent rester sont les bienvenus, mais si vous préférez partir, c'est pareil. Merci de vous être déplacés et de m'avoir écouté.

Raven s'est levée et s'est approchée de Cal.

— Je reste. Puis, elle nous a regardés d'un air de défi comme pour dire : bande de lâcheurs.

— Je crois que je vais rentrer, m'a dit Tamara à voix basse.

— Je vais rester un moment, ai-je répondu doucement. Elle a hoché la tête et s'en est allée.

— Je lève les pieds, a dit Chris en criant presque et en lançant sa cannette de bière dans les buissons. Bree, tu viens ? a-t-il ajouté avant de partir.

— Je suis venue avec Morgan, a dit Bree, en se rapprochant de moi. Je rentrerai avec elle.

— Tu rentres avec moi maintenant, a insisté Chris.

— Pas question, a répondu Bree, en le regardant droit dans les yeux.

Je souriais pour lui donner du courage.

Chris a juré, puis a disparu dans le bois en bougonnant. J'ai pris Bree par la main et fait un sourire à Cal. Assis en tailleur, les coudes sur les genoux, il observait la scène, complètement décontracté.

Raven, Bree et moi sommes restées. Ben Reggio est parti. Jenna est restée, et bien sûr Matt en a fait autant. Robbie n'a pas bronché. Beth Nielson, Sharon, Ethan et

43

Alessandra ont hésité, mais ils sont restés, de même que Suzanne et Todd.

À la fin, nous étions 13 autour du feu.

— Super, a dit Cal en se relevant. Merci d'être restés. On va pouvoir commencer.

4

Le bannissement

«Ils dansent sous le firmament, sous la lune de sang, pour accomplir leurs rites impies. Et gare à ceux qui les épient, car ils seront pétrifiés sur-le-champ.»

— *Sorcières, ensorceleurs et magiciens*
Altus Polydarmus, 1618

Pendant que, pas tout à fait rassurés, nous formions une ronde, Cal a pris un bâton et dessiné un grand cercle parfait sur le sol autour du feu. Avant de refermer le cercle, il nous a fait signe d'y entrer. Je me sentais un peu comme un mouton dans un enclos.

Puis, sortant un contenant de gros sel, Cal en a versé tout autour du cercle en disant :

— Avec ce sel, je purifie notre cercle. Maintenant, prenez-vous par la main. J'ai eu un frisson d'embarras lorsqu'il m'a pris la main. De l'autre côté, Raven lui tenait la main droite. Bree était à ma gauche et me souriait.

Cal a levé la main et tous les bras se sont élancés vers la mince bande étoilée au-dessus de nos têtes.

— Je rends grâce à la Déesse, a dit Cal d'une voix forte, en regardant le cercle que nous formions. Répétez après moi.

— Je rends grâce à la Déesse, avons-nous répété en chœur. Ma voix était si basse que je doutais d'avoir fait une différence. En fait, je me demandais qui était la Déesse.

— Je rends grâce au Dieu, a repris Cal, et nous avons répété après lui.

— Aujourd'hui, l'équilibre s'est fait entre le jour et la nuit, a-t-il poursuivi.

Aujourd'hui, le Soleil entre dans la Balance.

Todd a gloussé, et Cal s'est contenté de le regarder, sans mot dire.

Je sentais des picotements dans ma main gauche, comme sous l'effet d'un choc électrique. Elle était moite et j'essayais de ne pas me demander si je serrais trop fort sa main ou pas assez.

— Aujourd'hui, l'obscurité commence à l'emporter sur la lumière, a dit Cal. C'est l'équinoxe d'automne et nous rendons grâce à la Terre mère, qui nous nourrit. À nouveau, il a levé les yeux sur notre cercle. Maintenant, répétez après moi : Louée soit-elle!

— Louée soit-elle, avons-nous repris en chœur. Mais je priais surtout pour que ma main ne transpire pas trop dans celle de Cal. La sienne était forte et ferme, sans pression indue.

— Le temps est venu de rassembler les semences pour l'année prochaine, a dit Cal de sa voix calme. Le cycle de vie continue de nous nourrir. Maintenant, chantons en chœur : Loué soit-il.

— Loué soit-il, avons-nous psalmodié.

— Nous rendons grâce au Dieu qui se sacrifie pour ressusciter, a poursuivi Cal.

J'ai fait la grimace, parce que je n'aime pas le mot sacrifice.

— Loué soit-il, avons-nous repris.

— Maintenant, prenons le temps de souffler un peu, a dit Cal en penchant la tête et en fermant les yeux.

Chacun notre tour, nous avons suivi son exemple.

J'entendais Suzanne qui respirait bruyamment. En ouvrant les yeux, j'ai vu que Todd souriait en coin. Leurs réactions m'ont profondément agacée.

— OK, a poursuivi Cal, en rouvrant les yeux au bout de quelques minutes. (Soit il n'avait rien remarqué, soit il ignorait volontairement Todd et Suzanne.) Nous allons maintenant entonner un hymne de bannissement, en tournant dans le sens contraire des aiguilles d'une montre. Vous comprendrez.

J'ai aussitôt senti une petite poussée du corps, et deux secondes plus tard, nous faisions tous la ronde comme à la petite école.

Cal chantait sans cesse le même refrain, si bien que nous l'avons tous repris en chœur :

Louée soit la mère de toutes choses,
La déesse de la vie.
Loué soit le père de toutes choses,
Le dieu de la vie.
Grâce leur soit rendue pour tout ce que
nous possédons.
Grâce leur soit rendue pour nos
nouvelles vies.
Loués soient-ils.

Après quelques minutes, tout cela me semblait moins bizarre. Nous tournions toujours plus vite, en nous tenant par la main sous la lune, et je me sentais étrangement euphorique. Bree paraissait si heureuse et vivante, que je me réjouissais de la voir ainsi.

Un peu plus tard — deux minutes ou une demi-heure, je ne saurais dire — j'avais un léger tournis. Je fais partie de ces individus, incapables de monter dans un manège ou dans toute nacelle qui tourbillonne. C'est dû à mon oreille interne, mais le pire, c'est que ça me donne la nausée. Je commençais donc à me sentir un peu nauséeuse, mais je ne voyais pas comment je pourrais m'arrêter. Alors que je me demandais ce que nous allions bannir, Cal a demandé :

— Raven? De quoi aimerais-tu te débarrasser? Qu'est-ce que tu bannis?

Raven a souri, et pendant un instant, elle était presque jolie.

— Je bannis les esprits étroits! a-t-elle répondu sur un ton jubilatoire.

— Jenna? a ensuite demandé Cal, en continuant de tourner.

— Je bannis la haine, a dit Jenna après une pause.

— Je bannis la jalousie, a dit Matt à son tour.

Serrant fermement la main de Cal et celle de Bree, je tournais autour du feu, mi-courant, mi-dansant. J'étais comme un savon dans un bain tourbillon qui se vide, irrémédiablement entraîné vers le drain. Mais… le drain ne m'avalait pas. La force centrifuge me maintenait en place. J'avais la tête légère et me sentais merveilleusement bien.

— Je bannis la colère, a lancé Robbie.

— Je bannis, genre, les cours, a dit Todd à son tour, et je l'ai trouvé idiot.

— Je bannis les pantalons de golf à carreaux, a dit Alessandra, ce qui a fait éclater Suzanne.

— Je bannis les hot-dogs sans gras, a fait Suzanne à son tour, tandis que je sentais la main de Cal serrer la mienne un peu plus fort.

Puis, à ma grande surprise, Sharon a pris la parole :

— Je bannis la stupidité.

— Je bannis ma belle-mère, s'est écrié Ethan, en riant.

— Je bannis l'impuissance, a lancé Beth à son tour.

— Je bannis la peur, a dit Bree, à ma gauche.

Puis, un peu perdue, j'ai pensé que c'était à mon tour de parler. Call a serré ma main très fort. De quoi avais-je peur ? À ce moment précis, aucune de mes peurs ne me venait à l'esprit. Pourtant, j'ai peur d'un tas de choses : échouer aux examens, parler en public, voir mes parents mourir, avoir mes règles au collège lorsque je porte du blanc, mais je ne voyais pas comment exprimer ces peurs dans notre cercle de bannissement.

— Hum! ai-je fait.

— Vas-y! a crié Raven, dont la voix était emportée par notre mouvement giratoire.

— Vas-y! m'encourageait Bree en se tournant vers moi.

— À ton tour! a chuchoté Cal, comme pour m'entraîner dans un espace privé où il n'y avait que lui et moi.

— Je bannis les limites! ai-je fini par articuler, sans savoir d'où sortaient ces mots et pourquoi ils me semblaient appropriés.

Puis, c'est arrivé. Comme si nous obéissions au signal d'un chef, nous nous sommes détachés, nous avons levé les mains au ciel et nous sommes restés figés sur place. J'ai senti une douleur aiguë me vriller la poitrine, comme si ma peau s'en déchirait littéralement. Je suffoquais. Au moment où je portais la main à mon cœur, mes jambes m'ont lâchée.

— Qu'est-ce qu'elle a ? s'est inquiétée Raven au moment où je tombais à genoux, en me tenant la poitrine. J'avais le vertige et j'étais prise de nausée.

— Trop de bière, a suggéré Todd.

Bree a mis sa main sur mon épaule. J'ai pris une grande respiration et me suis redressée, un peu chancelante. Je transpirais, j'avais du mal à respirer et je sentais que j'allais m'évanouir.

— Ça va ? Qu'est-ce qui se passe ? a demandé Bree en m'entourant de son bras pour m'empêcher de m'effondrer. Un léger brouillard, comme un mirage de chaleur, flottait devant mes yeux. J'avais une envie terrible de pleurer comme une enfant. À chacune de mes respirations, la douleur dans ma poitrine perdait en intensité. Je voyais les membres de notre cercle, je sentais leurs regards sur moi.

— Ça va, ai-je répondu, reprenant mon souffle. Le corps de Bree me réchauffait par vagues. Je transpirais et pourtant j'avais froid, j'étais gelée jusqu'aux os.

— Je dois couver quelque chose, ai-je dit, essayant de parler pour que tous m'entendent.

— *L'ensorcellose*, a fait Suzanne, sarcastique, son visage bronzé ayant l'air plastifié sous le clair de lune.

Me redressant, j'ai constaté que la douleur avait disparu.

— Je ne sais pas ce que c'était, une crampe ou quelque chose du genre, ai-je tenté d'expliquer en m'éloignant de Bree d'un pas hésitant. C'est à ce moment-là que je me suis rendu compte que quelque chose n'allait pas avec mes yeux.

J'ai cligné à plusieurs reprises avant de lever les yeux au ciel. Tout était plus brillant, comme si la lune était pleine, mais je ne voyais toujours qu'un mince croissant, une faucille de couleur crème dans l'obscurité du soir. Tournant mon regard vers la forêt, je m'y suis sentie attirée, comme dans une photographie en trois dimensions. Je voyais distinctement chaque aiguille de pin, chaque cocotte et chaque branche tombées par terre. J'ai fermé les yeux. Mon ouïe était soudain si fine que je distinguais le moindre son nocturne : les insectes, les animaux, les oiseaux, la respiration de mes amis, le flux tranquille du sang coulant dans mes veines, le chant des grillons éclatant en millions de notes ; musique créée par un millier d'êtres distincts.

Autour de moi, les visages étaient flous, mais parfaitement reconnaissables à la lumière du feu. Robbie et Bree semblaient inquiets, mais c'est le visage de Cal qui m'a captivée. Cal me fixait intensément, ses yeux dorés semblant traverser ma peau de part en part.

Sans crier gare, je me suis assise par terre. Le sol, couvert d'une fine couche de feuilles en décomposition, était légèrement humide. Les sons me parvenaient avec une incroyable acuité. Soudain, je me suis sentie beaucoup mieux, comme si le sol lui-même avait absorbé mon malaise. Je fixais les flammes avec ravissement. La danse intemporelle et éternelle des couleurs était si sublime que j'en aurais pleuré.

Puis, la voix chaude de Cal m'est parvenue comme sur un nuage, aussi claire et limpide qu'un murmure dans un tunnel.

Même lorsque le groupe a recommencé à bavarder, j'ai entendu les paroles de Cal, qui semblaient ne s'adresser qu'à moi. Il a prononcé ces mots à voix basse, son regard rivé au mien.

— Je bannis la solitude !

5

Mal de bloc

« Une sorcière peut être homme ou femme. Le pouvoir féminin est aussi violent et terrifiant que le pouvoir masculin. Les deux sont à craindre. »

— *Les sorciers sont parmi nous*
Susanna Gregg, 1917

J'ai vu quelque chose la nuit dernière : un éclair de pouvoir provenant d'une source inattendue. Je ne peux sauter aux conclusions, risquer de commettre une erreur, car je cherche, j'attends et j'observe depuis trop longtemps. Mais je sens, en mon for intérieur, que cette source est ici. Elle est ici, et elle est puissante. Je dois me rapprocher d'elle.

Dimanche matin, au réveil, j'avais l'impression que ma tête était remplie de sable mouillé. Mary K. s'est pointée à la porte de ma chambre.

— Lève-toi. C'est l'heure de la messe.

Ma mère a fait irruption dans ma chambre.

— Allez, debout, miss paresse, a-t-elle ordonné en tirant les rideaux pour laisser pénétrer la lumière du jour, dont les rayons me martelaient le front.

— Aïe! ai-je gémi, en me couvrant le visage.

— Vite, on va être en retard, a dit ma mère. Tu veux des gaufres?

Pendant une minute, j'ai pensé : bien sûr.

— Je les mets dans le grille-pain pour toi.

En me redressant dans mon lit, je me suis demandé si c'était cela avoir la gueule de bois. Puis, tout m'est revenu, tout ce qui s'était passé la veille, et je me suis sentie toute remuée. La Wicca… j'avais vécu une expérience étrange et merveilleuse. Vrai, ce matin, j'étais toute courbaturée, j'avais un marteau dans la tête et les idées floues, mais la nuit dernière avait été l'un des moments les plus excitants de toute ma vie. Et Cal. Il était… épatant. Inusité!

Je me rappelais le moment où il m'avait regardée avec intensité. Je repensais avoir eu l'impression qu'il s'adressait à moi, rien qu'à moi, pour ensuite m'apercevoir que ce n'était pas le cas. Robbie l'avait entendu bannir la solitude. Bree aussi. En rentrant à la maison, Bree s'était demandé à haute voix comment un gars comme Cal pouvait savoir ce qu'était la solitude.

J'ai balancé mes pieds sur le plancher froid. C'était bel et bien l'automne, finalement; ma saison préférée. L'air est vif, les feuilles changent de couleurs, la chaleur et l'épuisement de l'été sont choses du passé. Je trouve l'automne douillet.

Une fois debout, j'ai tangué quelque peu puis j'ai longé les murs jusqu'à la salle de bains. J'ai sauté sous l'affreuse pomme de douche et j'ai tourné le robinet à chaud. Tandis que l'eau ruisselait sur ma tête, je me suis appuyée au mur et j'ai fermé les yeux, frissonnante. Quelque chose a changé de façon quasi imperceptible, j'entendais soudain chaque goutte d'eau ; je les sentais glisser sur ma peau une à une, écrasant le duvet sur mes bras. J'ai rouvert les yeux, j'ai inspiré l'air humide et j'ai senti mon mal de tête me quitter. Je suis restée là à observer l'univers sous la douche, jusqu'à ce que j'entende Mary K. frapper à la porte.

— Je sors dans une minute, ai-je dit, d'un ton impatient.

Quinze minutes plus tard, je prenais place sur le siège arrière de la Volvo de papa. J'avais attaché mes cheveux, mais ils étaient toujours mouillés et je me contorsionnais pour enfiler ma veste.

— À quelle heure es-tu rentrée hier soir, Morgan, a demandé maman. Tu n'as pas assez dormi ? Le matin, tout le monde dans ma famille, sauf moi, est d'une insupportable bonne humeur.

— Je ne dors jamais assez, ai-je ronchonné.

— N'est-ce pas une belle journée, a dit papa. J'étais debout à l'heure des poules. J'ai pris mon café sur la véranda et j'ai regardé le soleil se lever.

J'ai tiré sur la languette d'un Coke diète et j'en ai avalé une bonne gorgée pour me revigorer. Ma mère a fait la grimace.

— Chérie, tu devrais boire du jus d'orange le matin.

— Morgan est un oiseau de nuit, a dit papa en gloussant.

Je suis un oiseau de nuit, et eux sont debout au chant du coq. J'ai bu mon soda en me disant que mes parents avaient de la chance d'avoir Mary K. Autrement, ils auraient l'impression que leurs deux enfants sont des extraterrestres. Je pensais aussi qu'ils avaient de la veine de m'avoir, car ainsi ils pouvaient apprécier Mary K. à sa juste valeur. Enfin, ai-je pensé, j'ai de la chance d'avoir des parents comme eux car je sais qu'ils m'aiment, bien que je sois très différente.

Notre église a été construite il y a 250 ans environ. Elle est magnifique. Elle a été parmi les premières églises catholiques de la région. Mme Lavender, l'organiste, avait déjà commencé à jouer quand nous sommes entrés. L'orgue et les parfums d'encens sont aussi familiers et réconfortants pour moi que la fragrance de notre détersif.

En franchissant les lourdes portes en bois massif, les nombres 117, 45 et 89 m'ont traversé l'esprit, comme si quelqu'un les avait tracés dans ma tête. J'ai pensé : comme c'est bizarre. Nous avons pris place sur notre banc habituel, ma mère entre Mary K. et moi, pour nous empêcher de bavarder, même si on a passé l'âge du babillage. Je connais personnellement tous les membres de notre église. J'aime bien les retrouver chaque semaine, les voir changer, se transformer au fil du temps. Ça me donne l'impression de faire partie d'un grand tout qui dépasse notre petite famille.

Lorsque Mme Lavender a entamé le premier hymne à l'orgue, nous nous sommes tous levés en même temps. Au même moment, les officiants remontaient l'allée centrale : il y avait le chœur, le père Hotchkiss, le diacre Benes et Joey Markovich, l'enfant de chœur, qui portait une lourde croix dorée.

Maman tournait les pages de son livre. J'ai regardé le tableau à l'avant de l'église pour voir la page du premier hymne : page 117. Le deuxième était à la page 45, et le dernier à la page 89. C'étaient les trois nombres qui m'avaient traversé l'esprit en entrant dans l'église. J'ai trouvé la bonne page puis j'ai entonné le cantique, tout en me demandant comment j'avais pu deviner ces nombres.

Ce dimanche-là, durant son sermon, le père Hotchkiss a comparé une lutte spirituelle à une partie de football. Le père Hotchkiss est très féru de football.

La messe terminée, le soleil m'a fait cligner de l'œil sur le perron de l'église.

— On va *bruncher* au Widow's Diner, a dit papa, comme d'habitude ; et, comme d'habitude, nous étions d'accord.

C'était un dimanche comme les autres, sauf que j'avais deviné les pages des trois cantiques que nous devions chanter avant même de les voir sur le tableau. Et je n'y comprenais rien.

6

Magye pratique

« Les récits de tous leurs exploits sont transcrits dans leurs livres des ombres. Aucun mortel ne peut déchiffrer leurs codes contre nature, car leur langage n'est connu que de leurs semblables. »

— *Les repaires du mal*
Andrej Kwertowski, 1708

Je ne suis pas devin. La vie est remplie d'étranges coïncidences. C'est ce que je continuerai de me répéter, jusqu'à ce que je croie ce que je vois.

— Où est-ce qu'on va comme ça? ai-je demandé. J'avais troqué ma robe du dimanche contre un jean et un chandail.

Mon mal de tête s'était dissipé et je me sentais bien.

— Dans une librairie de sciences occultes, a répondu Bree en ajustant son rétroviseur. C'est Cal qui m'en a parlé hier soir, et j'ai envie d'en savoir plus.

— Parlant de sciences occultes, j'ai vécu un drôle de phénomène ce matin. À l'église, j'ai deviné les pages des cantiques avant de les voir affichées sur le tableau. Tu ne trouves pas ça bizarre ?

— Tu dis que tu les avais devinées ?

— Ces nombres sont apparus sans raison dans ma tête et, une fois dans l'église, ils étaient écrits sur la grande ardoise, pour nous indiquer les pages des cantiques du jour.

— C'est très bizarre en effet. Peut-être que ta mère te les avait soufflés à l'oreille ou quelque chose du genre.

Peut-être bien, ai-je pensé : ma mère fait partie de la guilde des femmes. De temps à autre, elle change les nombres sur le tableau, polit les candélabres et arrange les fleurs sur l'autel.

Quelques minutes plus tard, nous étions à Red Kill, la ville voisine. Petite, j'avais peur d'aller à Red Kill. Ce nom, «mort rouge» me paraissait menaçant, comme s'il s'y était produit une tragédie ou, pire, comme si un crime horrible était sur le point de se produire. Mais en fait, dans la vallée de l'Hudson, il y a beaucoup de villes dont le nom contient le mot «kill». C'est un vieux mot hollandais qui signifie «rivière». Red Kill veut donc dire «rivière rouge», tout simplement, sans doute à cause du sol ferreux qui colore l'eau de la rivière.

— J'ignorais qu'il y avait une librairie ésotérique à Red Kill. Crois-tu qu'ils ont des livres sur la Wicca?

— Oui, Cal a dit qu'ils en ont toute une collection. Je suis curieuse. Après la soirée d'hier, la Wicca m'intrigue terriblement. Je me suis sentie si bien après, comme après une séance de yoga ou un bon massage.

— C'était vraiment intense. Mais j'avais un peu la nausée ce matin, pas toi?

— Non, a répondu Bree en me jetant un drôle de regard. Tu dois couver quelque chose. Tu n'avais pas l'air bien en rentrant hier soir, après notre petite cérémonie.

— Merci, tu me rassures, ai-je dit, impassible.

— Tu vois ce que je veux dire, a fait Bree en me gratifiant d'un coup de coude amical.

Puis, pendant quelques minutes, nous sommes restées assises en silence.

— Hé! fais-tu quelque chose ce soir, a-je repris au bout de quelques minutes. Tante Eileen vient dîner.

— Avec sa nouvelle copine?

— Je pense que oui.

Tante Eileen, la petite sœur de maman, est lesbienne. Elle avait vécu une rupture deux ans plus tôt, et nous étions tous heureux qu'elle fréquente enfin quelqu'un d'autre.

— Si Eileen est là, c'est sûr que je viendrai, a dit Bree. Tiens, on y est.

Bree a garé sa voiture et on a fait le reste à pied, en passant devant la pharmacie Meyer, le magasin de chaussures pour enfants et un Baskin-Robbins.

— Ce doit être ici, a murmuré Bree en poussant une lourde porte en verre.

En baissant les yeux, j'ai aperçu, peinte sur le trottoir devant la porte, une étoile pourpre à cinq pointes entourée d'un cercle, exactement comme sur le pendentif en argent de Cal. Et, en lettres d'or sur la porte, l'inscription *Magye pratique, fournitures pour la vie*.

Je me sentais un peu comme Alice s'apprêtant à entrer dans le trou du lapin. Instinctivement, je savais que le simple fait d'entrer dans cette boutique m'entraînerait dans une aventure dont il m'était impossible d'entrevoir le dénouement. Et je trouvais cette idée irrésistible. J'ai pris une grande respiration et j'ai suivi Bree à l'intérieur.

Le magasin était petit et mal éclairé. Alors que Bree regardait les objets disposés sur les étagères, j'étais encore sur le pas de la porte, histoire de donner le temps à mes pupilles de s'habituer à l'obscurité. L'atmosphère était lourde. Un parfum d'encens flottait dans l'air. J'avais l'impression de sentir ses effluves me caresser la peau et monter lentement le long de mes jambes.

Après quelques clignements d'yeux, j'ai vu que la boutique était longue et étroite, avec un plafond très haut. Des étagères en bois, de fabrication artisanale, couraient sur les murs et divisaient le magasin en deux. La partie que je voyais était couverte de livres de haut en bas : des volumes anciens reliés en cuir, des reliures modernes aux couleurs vives, des brochures jaunies qui avaient l'air d'être des photocopies agrafées à la main. J'ai lu les petits écriteaux indiquant les différentes catégories : Magye, Tarot, Histoire, Artisanat, Guérison, Herbes, Rituels, Voyance... et chaque catégorie était subdivisée en sous-catégories. Tout était très bien ordonné, malgré l'impression de fouillis que l'on avait en entrant.

Rien qu'à lire les titres, je sentais que mon esprit s'épanouissait comme une fleur au printemps. Je n'avais jamais soupçonné l'existence de ce genre de livres. Je découvrais un nouvel univers : l'univers mystérieux des livres anciens où il était question de magie et de rituels.

Bree n'était plus dans mon champ de vision. En longeant l'allée centrale, je me suis retrouvée de l'autre côté du magasin. Bree s'était arrêtée dans le coin réservé aux chandelles. Il y en avait de toutes sortes et de toutes grosseurs : des cierges colossaux, des petites bougies multicolores comme celles que l'on met sur les gâteaux d'anniversaires, des chandelles aux formes humaines, des bougies décoratives pour soirées d'apparat, des lumignons, des chandelles en forme d'étoile. On trouvait là toutes les chandelles possibles et imaginables.

— Oh! mon Dieu, ai-je fait, en pointant le doigt sur une chandelle en forme de pénis grandeur nature. Enfin, je supposais qu'il était de grandeur nature. Je n'en avais pas vu un de près depuis que Robbie avait baissé sa culotte au primaire. Bree a pouffé et a dit :

— Si on en achetait quelques-unes pour le dîner de ce soir. La soirée risquerait d'être pas mal festive.

— Maman tournerait de l'œil! ai-je répondu en me tordant.

La plupart des chandelles étaient belles, fabriquées à la main dans plusieurs tons de couleur, certaines dans des tons de terre, d'autres de toutes les couleurs de l'arc-en-ciel. Une comptine m'est revenue en tête : *Flamme, jolie flamme, claire est mon âme*. Sans doute une réminiscence des *Contes de ma mère l'Oye* que je lisais lorsque j'étais petite. Et cela m'a rappelé le bien-être que j'avais ressenti la veille, dans notre cercle autour du feu.

— Cherches-tu quelque chose en particulier ? ai-je demandé à Bree, qui examinait maintenant les étagères jonchées de pots de verre remplis d'herbes et de poudres. Il y avait une section réservée aux huiles essentielles, avec des centaines de petites ampoules de verre brun foncé. L'air était saturé de parfums : jasmin, orange, patchouli, clou, cannelle et rose.

— Pas vraiment, a répondu Bree en lisant les étiquettes sur les bocaux. Je regarde.

— On devrait peut-être chercher un livre sur l'histoire de la Wicca, ai-je suggéré. Pour débutants, évidemment.

— Ça t'intéresse, hein ?

J'ai fait oui de la tête.

— Je trouve ça fascinant. Je suis curieuse d'en apprendre davantage.

— Tu es sûre que ce n'est pas seulement parce que Cal te fait craquer ? a fait Bree, petit sourire en coin.

Avant que je puisse répondre, elle avait pris une petite bouteille et l'avait décapsulée. Aussitôt, le parfum des roses après une pluie d'été s'est répandu dans l'air.

Je voulais répondre que cela n'avait rien à voir, mais je restais figée là à regarder le bout de mes chaussures. Cal me faisait craquer. Il m'attirait, même si je savais mieux que quiconque que je n'étais pas à la hauteur. Nous aurions formé un drôle de couple : Cal, le plus beau spécimen humain au monde, et Morgan, la fille qui n'avait jamais eu de petit ami.

Je restais là, immobile et muette, dans la boutique Magye pratique, submergée par un étrange désir. J'avais envie de Cal et de... tout ceci. Ces livres, ces senteurs et chacun de ces objets. De nouvelles émotions — passion, désir, obsession, curiosité inexplicable — s'éveillaient en moi, et c'était à la fois excitant et menaçant. Une part de moi aurait souhaité que toutes ces émotions se rendorment.

J'ai levé les yeux. Je voulais essayer d'expliquer à Bree ce que je ressentais, mais son regard s'était porté sur une boîte à bijoux, et je ne savais trop comment verbaliser mes sentiments.

Pendant que je fixais sans les voir les étiquettes sur les paquets d'encens, j'ai ressenti un léger picotement sur ma nuque. En levant les yeux, je me suis rendu compte que le commis du magasin me regardait avec insistance. C'était un homme dans la trentaine, avec des cheveux gris très courts, qui le faisaient paraître plus âgé qu'il n'était. Et il me regardait fixement, sans ciller, comme si j'étais un nouveau genre de reptile, quelque chose de tout à fait fascinant.

Les hommes n'ont pas l'habitude de me regarder de cette façon. Comme je suis tout le temps avec Bree ou avec Mary K., je passe inaperçue la plupart du temps. J'avais même entendu dire qu'un des gars de ma classe voulait demander à ma petite sœur de sortir avec lui. Maman et papa avaient déjà institué des règles pour le jour où on voudrait sortir avec les garçons. Jusqu'ici, ces règles ne s'étaient jamais appliquées à moi.

J'ai tourné le dos au commis. M'avait-il prise pour quelqu'un d'autre? Finalement, Bree est réapparue et m'a tapé sur l'épaule.

— T'as trouvé quelque chose d'intéressant?

— Oui, regarde, ai-je dit, en montrant le paquet d'encens qui avait pour titre «Aime-moi ce soir».

— Oooh, bébé, a fait Bree en souriant.

Ensemble, on est retournées dans la section des livres en riant. Il y avait toute une étagère de livres avec l'inscription : Livres des ombres. Je les ai ouverts un à un, et ils ne contenaient que des pages blanches, comme un journal intime non entamé.

Certains ressemblaient à des cahiers de notes bon marché; d'autres étaient plus recherchés, avec des pages de garde imitation marbre et des feuilles non ébarbées; d'autres encore, énormes et lourds, étaient reliés en cuir, avec une tranche dorée. J'ai eu un peu honte du journal enfantin, en vinyle rose, que je gardais depuis ma première année du secondaire.

Quinze minutes plus tard, Bree avait choisi deux livres de référence sur la Wicca, et j'avais opté pour un livre écrit par une femme qui avait découvert la Wicca par hasard, alors qu'elle était dans la trentaine, et qui racontait à quel point cela avait changé sa vie. Elle semblait expliquer la Wicca d'un point de vue très personnel. C'étaient des livres coûteux, et je n'ai pas, comme Bree, accès aux cartes de crédit de mes parents. Alors, j'en ai pris un seul, et nous nous sommes avancées vers la caisse.

— C'est tout pour vous? a demandé le commis en s'adressant à Bree.

— Mmm, mmm, marmonna-t-elle en cherchant son portefeuille dans son sac. On s'échangera les livres quand on en aura terminé, a-t-elle poursuivi en se tournant vers moi.

— Bonne idée.

— Avez-vous tout ce qu'il vous faut pour Samhain ? s'est enquis le commis.

— Samhain ? a répété Bree en levant les yeux.

— Un important festival wiccan, a repris le commis en indiquant une affiche collée au mur, représentant une grande roue pourpre.

En haut de l'affiche, on pouvait lire : Les sabbats des sorciers. Autour de la roue étaient inscrits les noms et les dates de toutes les fêtes wiccanes. Mabon se situait à 9 h, tandis que le mot Samhain apparaissait à environ 10 h 30, le 31 octobre. Fascinée, j'ai voulu mémoriser cette roue wiccane : Yule, Imbolc, Ostara, Beltane, Litha, Lammas, Mabon et Samhain. Tous ces noms étranges sonnaient malgré tout familiers à mes oreilles. Il s'en dégageait une certaine poésie.

— Vous devriez acheter vos chandelles orangées et noires maintenant, a repris le commis en les montrant du doigt.

— Oh, c'est vrai, a dit Bree en faisant un signe de tête.

— Si vous avez besoin d'autres renseignements, il y a quelques livres très instructifs sur nos festivals, sabbats et esbats, a poursuivi le commis.

Il parlait à Bree tout en me fixant sans arrêt. Je mourais d'envie de me procurer ces livres, mais je n'avais pas assez d'argent sur moi.

— Attendez une minute, je vais les chercher.

Bree est partie à sa suite afin de prendre les livres qu'il nous recommandait.

J'ai entendu une ampoule vaciller au-dessus de ma tête, et j'ai senti la spirale d'encens qui montait au-dessus du comptoir. Plantée là, j'avais l'impression de sentir vibrer tout ce qui m'entourait, comme si tous les objets débordaient d'énergie, comme dans une ruche. J'ai cligné des yeux et secoué la tête. Mes cheveux étaient soudain devenus lourds. J'aurais souhaité que Cal soit là.

Le commis était revenu derrière le comptoir, mais Bree avait continué de fouiner dans tout le magasin. Il me regardait. Le silence était si étrange que j'ai senti le besoin de parler.

— Pourquoi le mot magie s'épelle-t-il ici avec un y, me suis-je entendue demander.

— Pour le distinguer de la magie des illusionnistes, a-t-il répondu, comme s'il trouvait étrange que je l'ignore.

Puis, il s'est tu et a continué de me regarder intensément.

— Comment t'appelles-tu ? a-t-il fini par demander d'une voix très douce.

— Hum, Morgan. Pourquoi ?

— Je veux dire, qui es-tu ? Malgré son extrême douceur, il y avait dans sa voix une certaine insistance.

Qui je suis ? Que voulait-il savoir au juste ?

— Je suis en secondaire 4 au collège de Widow's Vale, ai-je répondu, embarrassée.

Le commis a eu l'air perplexe, comme s'il m'avait posé une question en français et que je lui avais répondu en espagnol. Heureusement, Bree était revenue. Elle tenait un livre de Sarah Morningstar, intitulé *Sabbats passés et présents*.

— Je prends aussi celui-ci, a-t-elle dit en le déposant sur le comptoir. Le commis a fait le compte en silence.

— Nous avons un livre d'histoire qui pourrait t'intéresser, a-t-il repris, en se penchant pour prendre un bouquin sous le comptoir de bois vieilli.

J'avais pensé « ce livre est noir », et il m'a présenté un livre à reliure noire dont le titre était : *Les Sept grands clans : les origines de la sorcellerie*. En le voyant, j'ai eu envie de m'écrier : il est à moi ! Évidemment, il ne m'appartenait pas ; je ne l'avais jamais vu auparavant et je me demandais pourquoi il me semblait si familier.

— C'est pour ainsi dire une lecture obligatoire, a dit le commis en me regardant fixement. Il est important de connaître l'histoire des sorcières de sang. On ne sait jamais quand on pourrait en rencontrer une.

— Je le prends, me suis-je empressée de répondre en sortant mon porte-monnaie.

Toutes mes économies y ont passé. Après avoir payé mes livres, nous avons pris nos sacs et sommes sorties de la boutique ; dehors, le soleil brillait de tous ses feux. Bree a mis ses verres fumés : on aurait dit une vedette cherchant à échapper aux paparazzis.

— Quel endroit génial !

— Super génial, ai-je renchéri. Mais c'était un euphémisme, car un tourbillon d'émotions me vrillait la poitrine.

7

La métamorphose

« Partout des innocents se tournent vers le sorcier du village qu'ils prennent pour un guérisseur, un accoucheur ou un sage. J'affirme qu'il vaut mieux vous soumettre à la volonté de Dieu, car la mort frappera tôt ou tard. »

— *Mère Clare Michael*
Tiré d'une lettre à sa nièce, 1824

Je pense sans arrêt à la boutique « Magye pratique » et au curieux mélange de peur et de familiarité que j'y ai ressenti. Comment se fait-il que les noms des esbats et des festivals m'aient fait l'effet de souvenirs

profondément enfouis? Je n'ai jamais vraiment
réfléchi à la possibilité de vies antérieures, mais,
maintenant, je me pose la question.

— Morgan! Mary K.! a appelé maman
du bas de l'escalier. Eileen est arrivée!

J'ai roulé hors de mon lit et j'ai refermé
mon livre en prenant soin de marquer la
page. Je l'ai déposé sur mon bureau, à côté
de mon journal, en m'efforçant de revenir
sur terre. Ce que j'y avais appris sur les origines millénaires de la Wicca, bien avant
l'ère chrétienne, m'avait jetée par terre.

J'avais la tête encore pleine d'images de
magye lorsque j'ai dévalé l'escalier, juste au
moment où papa rentrait, les bras chargés
de sacs provenant de Kabob Palace, le seul
restaurant moyen-oriental de Widow's
Vale. L'odeur des *falafels* et de l'hummous
m'a aidée à reprendre mes sens.

Le reste de la famille était déjà
rassemblé dans la salle de séjour.

— Salut, tante Eileen, ai-je dit en
l'embrassant.

— Allô, chérie, je te présente ma copine,
Paula Steen.

Paula s'est levée pour me saluer comme je me tournais vers elle, souriant déjà. Ma première impression avait un rapport avec les animaux, comme si Paula était couverte d'animaux. Je suis restée figée sur place. C'est-à-dire que j'ai vu Paula — qui est un peu plus grande que moi —, ses cheveux blond cendré et ses grands yeux verts, mais j'ai également vu, autour d'elle, des chiens, des chats, des oiseaux et des lapins. C'était bizarre et effrayant, et j'ai eu un moment de panique.

— Bonjour Morgan, a dit Paula d'une voix amicale. Hum, ça va?

— Je vois des animaux, ai-je répondu faiblement, en me demandant si je ne devrais pas m'asseoir par terre et poser ma tête entre mes genoux.

Paula a éclaté de rire.

— Je n'arrive jamais à enlever tous les poils sur mes vêtements, a-t-elle répliqué d'un ton neutre. Je suis vétérinaire, et je viens de terminer ma clinique du dimanche. Je pensais qu'avec un bon brossage, je serais présentable, a-t-elle poursuivi en examinant sa jupe.

— Oh, mais vous l'êtes ! ai-je dit aussitôt.

Je me sentais stupide.

— Vous êtes impeccable.

Puis j'ai secoué la tête, cligné des yeux quelques fois, et ces drôles d'images se sont estompées.

— Je ne sais pas ce qui cloche avec moi.

— Peut-être es-tu voyante, a lâché Paula, aussi naturellement que si elle avait suggéré que j'étais végétarienne ou démocrate.

— Ou peut-être est-elle seulement cinglée, a dit Mary K. sur un ton ironique, ce qui lui a valu un coup de pied sur le tibia.

Au même instant, je me suis précipitée pour ouvrir, car on venait de sonner à la porte.

— Alors, elle est comment ? a demandé Bree en pénétrant dans le vestibule.

— Elle est super. Je perds la tête, ai-je chuchoté pendant que Bree lançait sa veste sur un crochet.

— Tu m'expliqueras plus tard, a-t-elle répondu en me suivant dans le séjour pour rencontrer Paula.

— Passons à la salle à manger, le souper est servi, a annoncé maman, cinq minutes plus tard.

Quand tout le monde a été installé autour de la table, j'ai repensé à ce que j'avais dit. Pourquoi avais-je vu ces images d'animaux? Pourquoi m'étais-je ouvert la trappe?

Malgré mon attitude étrange, le dîner s'est bien déroulé. J'ai aimé Paula tout de suite. Elle était chaleureuse, drôle et, de toute évidence, très amoureuse de tante Eileen. J'étais heureuse que Bree soit là. Elle faisait partie de la famille. Elle m'a déjà dit qu'elle aimait venir souper chez nous parce qu'à chaque fois, elle avait l'impression d'être dans une vraie famille. Chez elle, elle est toujours seule avec son père. Ou complètement seule. Tout en me servant une deuxième portion de taboulé, j'ai levé les yeux et dit d'un air absent :

— Oh, maman, c'est Mme Fiorello.

— Quoi? a demandé maman, en trempant son pain pita dans l'hummous.

À cet instant, le téléphone a commencé à sonner. Maman s'est levée pour répondre. Elle est restée dans la cuisine une minute, puis elle a raccroché et est venue se rasseoir. Elle m'a regardée.

— C'était Betty Fiorello. T'avait-elle dit qu'elle appellerait?

J'ai fait signe que non et j'ai continué à manger mon taboulé.

Bree et Mary K. ont entonné en chœur le thème de *X-Files*.

— Morgan est une voyante, s'est esclaffée tante Eileen. Vite, dis-nous qui va remporter les éliminatoires de la série mondiale?

— Désolée, ai-je répliqué avec un petit rire timide. Ça ne me vient pas.

Tout le long du repas, Mary K. m'a fait enrager en se moquant des pouvoirs surnaturels de mon cerveau. De temps en temps, je sentais le regard de ma mère se poser sur moi.

Il s'était peut-être produit quelque chose en moi depuis que j'avais joint le cercle, depuis que j'avais banni les limites. Je m'ouvrais à l'impossible. Je ne savais pas si je devais m'en réjouir ou partir à l'épouvante. J'aurais aimé en parler à Bree, mais il fallait qu'elle rentre tôt après le souper.

— Au revoir, Monsieur et Madame Rowlands, a dit Bree en enfilant son manteau. Merci pour le dîner, c'était délicieux. Heureuse de t'avoir rencontrée, Paula.

Plus tard, après le départ d'Eileen et de Paula, je suis montée à l'étage pour faire mon devoir de maths. J'ai téléphoné à Bree, mais elle regardait un match de football avec son père et elle m'a dit qu'on se reparlerait le lendemain.

Vers 23 h, j'ai eu une envie folle d'appeler Cal et de lui raconter ce qui m'arrivait. Heureusement, j'ai compris que c'était complètement déplacé à cette heure du soir, et j'ai laissé tomber. Je me suis endormie le visage couché dans le livre des *Sept grands clans*.

— Bienvenue à bord de Rowlands Airlines, ai-je déclamé lundi matin, pendant que Mary K. s'installait sur le siège du passager, en essayant de tenir son cabaret à niveau, afin que ses œufs brouillés n'aillent pas s'échouer sur ses genoux. Vous êtes priés d'attacher vos ceintures et de redresser votre siège pendant toute la durée du décollage. Mary K. a ri et pris une bouchée de son déjeuner.

— On dirait qu'il va pleuvoir, a-t-elle dit en parlant la bouche pleine.

— Je l'espère ; comme ça, M. Herndon n'aura pas besoin de nettoyer ses stupides gouttières, ai-je dit en tenant le volant avec mes genoux pendant que j'ouvrais une cannette de soda.

— Hum, OK, a fait Mary K., les yeux plissés et en prenant exagérément un ton apaisant. Je l'espère aussi, a-t-elle ajouté en me jetant un regard en coin. On est déjà de retour dans *X-Files* ?

J'ai essayé de rire, mais j'étais moi-même étonnée de ce que je venais de dire. Les Herndon étaient un vieux couple qui vivait à trois maisons de chez nous, et je pensais rarement à eux.

— Tu es peut-être en train de te métamorphoser en un être supérieur, a suggéré ma sœur en ouvrant son contenant de jus d'orange.

Elle a pris une grande gorgée, pour ensuite s'essuyer la bouche du revers de la main. Ses cheveux roux, droits et luisants se balançaient sur ses épaules. Mary K. était toujours jolie et féminine, comme maman.

— Je suis déjà un être supérieur, lui ai-je rappelé, faisant allusion au fait que j'étais l'aînée.

J'ai pris une gorgée de soda et j'ai soupiré en sentant que les cellules de mon cerveau s'éveillaient enfin. J'étais prête à commencer ma journée. Cal serait au collège. La seule idée de le voir bientôt, de pouvoir lui parler, me rendait si agréablement fébrile, que mes mains serraient le volant.

— Hum, Morgan... a tenté Mary K. tout doucement.

— Oui?

— Tu diras que je suis vieux jeu, mais la règle veut que l'on s'arrête au feu rouge.

J'ai freiné brusquement. En jetant un œil dans le rétroviseur, j'ai vu que je venais de brûler un feu rouge, à l'intersection de Sainte-Marie et Dimson. À l'heure de pointe! C'était presque un miracle que je n'aie pas provoqué un accident. Je n'avais même pas entendu un seul coup de klaxon.

— Pardon, Mary K., je suis désolée. Je rêvais éveillée. Je serai plus prudente à l'avenir, promis!

— C'est une bonne idée, a-t-elle répondu calmement.

Elle a ramassé le reste de ses œufs brouillés et a jeté le plateau dans le sac-poubelle de la voiture.

Nous sommes arrivées à bon port avec tous nos morceaux, et j'ai trouvé une bonne place de stationnement presque juste devant l'école. Aussitôt, tous les amis de Mary K. se sont précipités pour l'accueillir. Mary K. était là; la fête pouvait commencer.

Bree et Robbie n'étaient ni dans le groupe des fumeurs, ni dans celui des *bollés*, ni dans celui des enfants sages. Ils s'étaient rassemblés à un nouvel endroit, près des vieux bancs de ciment qui se font face, à côté de la porte de l'entrée est. Il y avait aussi Raven, Jenna et Matt, Beth, Ethan, Alessandra, Todd, Suzanne, Sharon et Cal, tous ceux qui avaient participé au cercle, samedi soir. J'entendais le martèlement sourd de mon cœur.

Chris s'était avancé pour parler à Bree. L'air renfrogné, elle s'était éloignée avec lui, en gesticulant. Ça discutait fort.

— Salut Morgan, a dit Tamara en venant vers moi.

J'ai jeté un coup d'œil à Cal ; il s'entretenait avec Ethan.

— Salut. T'as passé un bon week-end ?

— Pas mal. Je t'ai téléphoné dimanche, mais tu étais sans doute à la messe. Et le cercle, c'était comment ? Qu'est-ce qui s'est passé après mon départ ?

— C'était vraiment bien. On s'est pris par la main et on a fait la ronde autour du feu de camp. Puis on a parlé des choses dont on aimerait se débarrasser.

— Comme... la pollution, genre ?

— La pollution ! Quelle bonne idée. J'aurais dû y penser. Non, des choses comme la colère et la peur. Ethan a même souhaité bannir sa belle-mère.

Tamara riait encore quand Janice est venue nous rejoindre.

— Allô les filles ! a-t-elle dit en repoussant ses lunettes sur son nez fin. Tam, il faut que j'aille déposer une preuve d'absence sur le bureau du Dr Gonzalez. Tu viens avec moi ?

— Bien sûr ; tu viens Morgan ?

— Non, allez-y, ai-je répondu en m'approchant des bancs du côté est.

— Bonjour Morgan, a dit Jenna d'un air amical.

— Allô, ai-je répondu.

— On parlait de notre prochain cercle, a commencé Raven. C'est-à-dire, si tu t'es bien remise de ta soirée de samedi.

Aujourd'hui elle portait un corsage marron clair seyant, une jupe noire, des bottillons noirs et une veste de velours noir. Tout pour attirer les regards. J'ai senti le sang me monter aux joues.

— Je vais très bien, ai-je répondu en jouant avec la fermeture éclair de mon chandail à capuchon.

— C'est tout à fait normal, pour quelqu'un de sensible, de réagir fortement au cercle la première fois, est intervenu Cal, dont la belle voix de basse soulevait des papillons dans ma poitrine. Ça m'est arrivé aussi.

— Oh! qu'elle est sensible la petite Morgan, s'est moqué Todd.

— Alors, c'est pour quand le prochain cercle? a demandé Suzanne en faisant valser ses beaux cheveux blonds.

— Désolé, mais tu n'es pas invitée à notre prochain cercle, a-t-il dit sans ménagements en la regardant droit dans les yeux.

Suzanne a eu l'air offusquée.

— Quoi? a-t-elle lancé avec un petit rire forcé.

— Non, a poursuivi Cal. Ni toi, ni Todd, ni Alessandra.

Ensemble, ils l'ont regardé, incrédules, et je dois avouer que je jubilais. Je me rappelais leur ton railleur de samedi soir. Ils faisaient partie de la clique de Bree, et il était impensable que quelqu'un leur tienne tête, leur interdise l'accès à une activité. Je trouvais cela jouissif.

— Qu'est-ce que tu racontes ? a demandé Todd. On a pourtant bien participé. Il avait pris un ton agressif pour cacher son embarras.

— Non, a dit Cal calmement. Vous n'avez pas bien participé, a-t-il ajouté sans plus d'explication.

— Et nous sommes tous restés plantés là, curieux de voir ce qui se passerait ensuite.

— Je n'arrive pas à le croire, a dit Alessandra.

— Je sais, a dit Cal, qui avait presque l'air de sympathiser.

Todd, Alessandra et Suzanne se regardaient mutuellement, regardaient Cal, puis le reste du groupe. Personne n'intervenait ; personne ne leur demandait de rester. C'était très bizarre.

— Puisque personne ne veut de nous, a fait Todd en relevant le menton, venez les filles, on s'en va !

Alessandra et Suzanne n'avaient d'autre choix que de le suivre. Ils avaient l'air humiliés et furieux, mais ils avaient couru après.

Audacieusement, j'ai lancé à Cal un regard de remerciement, et ses yeux sont restés rivés aux miens le temps de quelques battements de cœur. Je ne pouvais regarder ailleurs. Puis, sans crier gare, il a quitté le banc contre lequel il était adossé pour venir se braquer devant moi.

— Qu'est-ce que j'ai derrière le dos ? m'a-t-il demandé.

J'ai froncé les sourcils une seconde avant de répondre :

— C'est vert et rouge. Une pomme.

C'était comme si je l'avais vue dans ses mains.

Il a souri, et de petits plis se sont formés aux commissures de ses yeux dorés et expressifs. Ramenant sa main devant lui, il m'a tendu une belle pomme rouge et verte, avec une feuille toujours attachée à la tige.

Embarrassée et gênée, consciente que tous les yeux étaient rivés sur moi, j'ai pris la pomme et j'ai mordu dedans, priant pour que son jus ne me dégouline pas sur le menton.

— Tu as bien deviné, a dit Raven, de l'irritation dans la voix.

L'idée qu'elle devait avoir un énorme béguin pour Cal m'a traversé l'esprit.

— Ce n'était pas une devinette, a dit Cal doucement, sans cesser de me regarder.

Cet après-midi-là, quand je suis rentrée avec Mary K., nous avons appris que M. Herndon était tombé d'une échelle en nettoyant ses gouttières et qu'il s'était cassé la jambe. Mary K. a commencé à me surnommer Amazing Kreskin*. De mon côté, j'étais si effrayée que j'ai appelé Bree pour lui demander si je pouvais passer la voir après le dîner.

---

* N.d.T. : Amazing Kreskin, de son vrai nom George Joseph Kresge, était un mentaliste populaire dans les années 1970.

8

Cal et Bree

« **La sorcellerie compte sept maisons, sept clans. Entre eux, ils vivent; entre eux, ils se marient. Leurs enfants naissent surnaturels; ce sont des créatures nyctalopes qui possèdent des pouvoirs inhumains.** »
— *Sorcières, ensorceleurs et magiciens*
Altus Polydarmus, 1618

Il y a une pierre précieuse là. Je ne me trompais pas. Aujourd'hui encore, je l'ai vue poindre. Mais elle ne s'en doute pas encore. Je serai patient. Il faut qu'elle soit révélée au grand jour, mais sans précipitation.

Bree est venue m'ouvrir. L'air du soir était frisquet, mais je portais un gros chandail chaud et confortable.

— Entre. Tu veux boire quelque chose ? J'ai du café.

— Du café, c'est parfait, ai-je répondu en la suivant dans l'immense cuisine des Warren.

Bree a versé le café dans deux grosses tasses et a ensuite ajouté du lait et du sucre.

— Ton père est là ?

— Oui. Il travaille, pour faire changement !.

M. Warren est avocat. Je ne sais pas bien en quoi consiste son travail, mais je comprends que lui et ses collègues défendent de grosses corporations contre les gens qui leur intentent des poursuites. Il fait fortune, mais il n'est pas souvent à la maison, surtout depuis que Bree n'est plus une enfant.

Il y a 5 ans, lorsque Bree avait 12 ans et que son frère Ty en avait 18, la mère de Bree a demandé le divorce. Cela a été un gros scandale à Widow's Vale : Mme Warren s'en allait vivre en Europe avec son amant, un homme beaucoup plus jeune qu'elle. Bree a vu sa mère une seule fois depuis, et elle en parle rarement.

À l'étage, dans la chambre spacieuse de Bree, je me suis lancée.

— Je pense que je deviens folle. Crois-tu que le cercle soit dangereux, ou quelque chose dans le genre ?

Je me suis assise nerveusement dans son fauteuil poire en suède.

— Mais de quoi tu parles ? a demandé Bree, affalée sur les nombreux oreillers de son grand lit. On a fait la ronde, je ne vois pas ce qu'il y a de dangereux là-dedans.

Je lui ai parlé de ce sixième sens que je venais de découvrir ; un phénomène que je ne m'expliquais pas et qui avait commencé après la soirée de samedi. Je lui ai tout raconté sans reprendre mon souffle une seule fois : que j'avais eu la nausée dimanche, que j'avais vu des animaux autour de Paula, que j'avais su pour la pomme de Cal et pour l'accident de M. Herndon. Je lui ai également rappelé le coup de fil de Mme Fiorello.

Bree a levé la main pour m'arrêter.

— Eh bien, si ça m'était arrivé, je me sentirais sans doute un peu bizarre moi aussi. Mais je trouve ta réaction un peu exagérée, a-t-elle dit en souriant. En fait, il se pourrait que tu aies entendu ta mère dire les numéros des hymnes. On en a déjà parlé. Pour ce qui est de Mme Fiorello, elle téléphone chez vous à tout moment, non ? Sans blague, chaque fois que je vais chez toi, elle appelle ! Quant aux animaux que tu as vus, c'est difficile à expliquer, mais peut-être avais-tu perçu l'odeur de l'hôpital vétérinaire. Inconsciemment, je veux dire. Pour le reste, ce pourrait être une suite de coïncidences qui s'additionnent et te foutent la trouille. Mais je ne crois pas que tu perdes la tête. En tout cas, pas encore.

J'étais un brin rassurée.

— Le problème, c'est que tout arrive en même temps. Et puis, il y a toute cette histoire de la Wicca. As-tu commencé à lire sur le sujet ?

— Euh, oui. C'est plutôt intéressant, et puis il semble que ce soit un truc de femmes, a précisé Bree en riant. Pas étonnant que Cal y soit plongé jusqu'au cou.

— Dommage pour Justin, ai-je ajouté, moqueuse.

— Oh, Justin sort avec un garçon de Seven Oaks, a dit Bree sur un ton dédaigneux. Il ne peut pas s'intéresser à Cal en même temps. Au fait, tu te rappelles tous ces livres des ombres que nous avons vus à la boutique Magye pratique ?

— Hum… oui.

— Ils s'adressent aux sorcières. Les sorcières écrivent des choses dans leurs livres des ombres, comme on tient un journal. Elles y inscrivent des remarques, des envoûtements et toutes leurs recettes de sortilèges. Tu ne trouves pas ça génial ?

— Oui, c'est super génial. Crois-tu que les sorcières de la région vont à la boutique pour acheter ces livres ?

— Bien sûr, a répondu Bree sans hésiter.

Je buvais mon café en espérant que ça ne m'empêcherait pas de dormir.

— Crois-tu que Cal a son propre Livre des ombres ? Avec des notes sur nos cercles ?

J'avais envie de lui parler de mon attirance envers Cal, mais cela me gênait. C'était plus difficile à expliquer que les petits béguins sans importance que j'avais déjà eus. Et même si elle avait effleuré le sujet à la boutique, elle n'imaginait pas à quel point Cal me faisait rêver et elle ignorait la force du sentiment que j'éprouvais.

— Oh! je parierais qu'il en a un, et je serais très curieuse de le voir. J'ai trop hâte à notre prochain cercle; je sais déjà ce que je vais porter ce soir-là.

Cette idée m'a fait rire.

— Et qu'est-ce que Chris dit de ça?

Bree a pris un air solennel avant de répondre :

— Ça n'a pas vraiment d'importance. Je vais rompre avec lui.

— Vrai? C'est dommage. Vous vous êtes tellement amusés ensemble au début de l'été.

J'ai senti un spasme nerveux dans mon estomac et j'ai changé de position dans le fauteuil poire.

— Ouais, mais premièrement, il s'est mis à se comporter comme un goujat en me donnant des ordres. Tant pis.

J'ai hoché la tête en guise d'approbation.

— Et deuxièmement?

— Il déteste tout ce qui tourne autour de la Wicca, et moi je trouve ça épatant. S'il ne veut pas prendre part aux activités qui m'intéressent, je n'ai pas besoin de lui.

— Bien dit, ai-je repris, trop heureuse à l'idée que je pourrais jouir de sa présence plus souvent, à tout le moins jusqu'à ce qu'elle ait trouvé un remplaçant à Chris.

— Et troisièmement…

— Quoi? ai-je fait en avalant ma dernière gorgée de café.

— Je suis totalement et désespérément folle de Cal Blaire, a-t-elle annoncé candidement.

Je suis restée longtemps figée dans son fauteuil poire. J'avais le visage très froid, comme l'air dans mes poumons. Et vlan pour mes dons de voyance! Pourquoi ne l'avais-je pas vue venir?

Très lentement, j'ai laissé sortir l'air de mes poumons. Lentement, j'ai repris mon souffle.

— Cal, ai-je articulé, en essayant d'avoir l'air calme. Est-ce pour lui que tu veux rompre avec Chris?

— Non, je te l'ai dit. Chris se comporte en goujat. J'aurais rompu de toute façon, a dit Bree, ses yeux noirs brillant dans son beau visage.

Dans mon cerveau, les impulsions nerveuses s'entrechoquaient, mais une nouvelle pensée se frayait un chemin jusqu'à mes lèvres.

— Est-ce à cause de ça que tu aimes la Wicca ? À cause de Cal ?

— Non, pas vraiment, a dit Bree après mûre réflexion. Je crois que j'aimerais la Wicca, même sans Cal. Mais je suis en train de tomber follement amoureuse de lui. Je veux être avec lui. Et si on avait ce truc incroyable en commun... a-t-elle ajouté dans un frisson. Peut-être que cela nous rapprocherait.

J'ai ouvert la bouche pour dire quelque chose, mais, de peur de m'entendre prononcer des paroles méchantes et hargneuses, je l'ai refermée aussitôt. Il y avait tellement de pensées douloureuse qui se bousculaient dans ma tête que je ne savais plus par où commencer. Est-ce que j'étais blessée ? Jalouse ? Furieuse ? C'était Bree, ma meilleure amie depuis presque toujours. Nous avions toutes les deux haï les garçons, en quatrième année. Nous avions eu nos règles presque en même temps, en sixième. Nous avions toutes les deux eu le béguin pour Hanson, deux ans plus tard. Et l'année d'après, nous nous étions juré le secret éternel quant à nos amours.

À présent, Bree était en train de me dire qu'elle était folle du seul garçon qui m'ait fait un tel effet jusqu'ici. Le seul dont j'aie jamais eu envie, tout en sachant que je ne pourrais pas l'avoir.

J'aurais dû le deviner. J'avais été aveuglée par mes propres sentiments. Cal est beau comme un dieu, et Bree tombe amoureuse facilement. C'était écrit que Bree serait attirée par lui. C'était écrit que Chris ne ferait pas le poids à côté d'un gars comme Cal.

Bree était si parfaite. Comme Cal. Ils formeraient un couple de rêve. J'en avais mal au cœur.

— Hum, ai-je murmuré, en réfléchissant à cent à l'heure.

J'ai essayé de prendre une gorgée dans ma tasse vide. Cal et Bree. Cal et Bree.

— Tu n'approuves pas ? a demandé Bree, les sourcils en accent circonflexe.

— Approuve, désapprouve, qu'est-ce que ça peut faire ? ai-je dit en essayant d'avoir l'air à peu près normale. C'est seulement qu'il est déjà sorti avec différentes filles jusqu'ici. Et je crois que Raven essaie de lui mettre le grappin dessus aussi. Je ne veux pas que tu souffres, me suis-je entendue bafouiller.

— T'en fais pas pour moi, a poursuivi Bree en souriant de toutes ses dents. Je pense que je peux prendre les choses en main. En fait, je veux le prendre en main, a-t-elle dit en blaguant. Tout partout.

— Eh bien, bonne chance, ai-je ajouté, en faisant un sourire forcé qui devait ressembler davantage à une grimace.

— Merci, a dit mon amie. Je te tiendrai au courant.

— Hum, Hum. Merci de m'avoir écoutée, ai-je dit en me relevant. Il faut que j'y aille. On se voit demain.

Je suis sortie de la chambre et de la maison de Bree, raide et prudente, comme si j'essayais de ne pas rouvrir une plaie. En faisant démarrer Das Boot, j'ai senti des larmes froides couler le long de mes joues. Bree et Cal! Bon sang! Jamais, jamais je ne sortirais avec lui. Bree allait devenir sa copine. Je ressentais une douleur physique à la poitrine, et j'ai pleuré jusqu'à la maison.

9

La soif

«Chacune des sept maisons a un nom et une spécialité. Un homme ordinaire n'a aucune chance contre ces sorcières : mieux vaut vous en remettre à la volonté de Dieu, plutôt que de vous engager dans une bataille contre les Sept clans.»

— *Les Sept grands clans*
Thomas Mack, 1845

Suis-je en train de perdre la tête ? Je change. Je change de l'intérieur. Mon esprit se développe. À présent, je vois en couleur ce que je voyais autrefois en noir et blanc. Mon univers évolue à la vitesse de la lumière. J'ai peur.

Le lendemain, je me suis réveillée tôt, après une nuit très agitée. J'ai fait des rêves horriblement réalistes où Cal et Bree étaient presque toujours présents. J'avais repoussé mes couvertures et je grelottais. Je les ai ramenées sur moi, mais j'avais peur de me rendormir.

Toujours couchée, j'observais la course de la lumière qui entrait peu à peu par la fenêtre. J'assistais rarement au lever du jour, et mes parents avaient raison : l'aurore avait quelque chose de magique. À 6 h 30, mes parents étaient debout. C'était réconfortant de les entendre remuer dans la cuisine, préparer le café, verser les céréales dans les bols. À 7 h, Mary K. était sous la douche.

Je réfléchissais. Ma raison me disait que Bree avait beaucoup plus de chances que moi de sortir avec Cal. En fait, mes chances étaient nulles. Cal et Bree étaient de la même trempe. D'ailleurs, je souhaitais le bonheur de Bree, non ? Mais, pourrais-je vivre un amour par procuration à travers elle ?

J'ai grogné. Tout cela n'avait aucun sens.

Pourrais-je accepter que Bree sorte avec Cal ? Non. Autant manger de la mort aux rats. Mais si je ne l'acceptais pas et que ça arrivait malgré tout (et logiquement, rien ne laissait présumer que cela n'arriverait pas), je risquais de perdre l'amitié de Bree. Et de perdre la face pour de bon.

Avant que la sonnerie de mon réveille-matin ait retenti, j'avais décidé de faire le sacrifice suprême et de ne jamais laisser Bree soupçonner mon sentiment pour Cal, quoi qu'il arrive.

— J'ai invité des copains chez moi samedi soir, a dit Cal, et j'ai pensé qu'on pourrait profiter de l'occasion pour faire notre cercle. Ce n'est pas une occasion spéciale, mais ce serait super de répéter l'expérience.

Il s'était accroupi devant moi et je voyais son genou bronzé à travers le trou de son jean usé. Je me gelais les fesses, assise sur les marches de béton, en attendant l'ouverture des portes de ma classe pour la rencontre du club de math. L'air s'était soudain refroidi, comme en reconnaissance de Mabon, l'équinoxe d'automne de la semaine dernière.

Je me suis perdue dans ses yeux.

— Oh! ai-je dit, hypnotisée par les minuscules stries d'or et de brun qui dessinaient des cercles sur ses pupilles.

Mardi, Bree a rompu avec Chris, qui a très mal pris la chose. Mercredi, Bree s'est assise à côté de Cal à l'heure du lunch. Elle était arrivée au collège très tôt afin de lui parler et elle ne le lâchait plus d'un poil. Selon elle, ils ne s'étaient pas encore embrassés, mais ça n'allait pas tarder. Avec Bree, les choses ne traînaient jamais.

Nous étions aujourd'hui jeudi, et Cal était venu me parler.

— J'aimerais que tu sois là, a-t-il dit, et j'avais l'impression qu'il m'incitait à poser un geste dangereux et illicite.

D'autres étudiants passaient près de nous dans la lumière déclinante de l'après-midi, en nous lançant des regards remplis de curiosité.

— Hum, ai-je murmuré, en feignant l'indécision.

Pour dire la vérité, je mourais d'envie de participer à un autre cercle, d'explorer la Wicca en personne plutôt que de me contenter de lire sur le sujet. J'avais une soif incommensurable, une soif comme je n'en avais jamais éprouvée jusque-là : je voulais tout connaître de la Wicca.

Mais, si j'y allais, je verrais Bree se coller contre Cal toute la soirée, et ce serait de la torture. Qu'est-ce qui serait pire : la voir en train de séduire Cal, ou l'imaginer en train de le faire ?

— Mmm, je crois que je pourrais venir, ai-je répondu malgré moi.

Cal a souri et j'ai *littéralement* senti mon cœur palpiter dans ma poitrine.

— Ne sois pas trop enthousiaste, a-t-il ajouté.

Je l'ai regardé avec ébahissement alors qu'il tirait doucement une mèche de mes cheveux, qui retombait près de mon coude. Je sais qu'il n'y a pas d'extrémités nerveuses dans les cheveux, mais à ce moment précis, j'ai eu l'impression que oui. Une bouffée de

chaleur a envahi ma nuque et mon front.
Oh, bon sang! quelle cloche je fais, ai-je
pensé, impuissante.

— J'ai lu des choses sur la Wicca. Je...
j'ai beaucoup aimé.

— C'est vrai?

— Vrai. C'est naturel... d'une certaine
manière...

— Vraiment? Je suis content de te
l'entendre dire. Je craignais que cela t'ait
fait peur, après notre premier cercle. Cal
s'était assis à côté de moi, sur les marches
froides.

— Non, ai-je dit aussitôt, de peur que
la conversation ne prenne fin. Je veux dire,
j'ai eu la nausée après coup, mais je me suis
sentie... vivante aussi. C'était... comme une
révélation.

Puis, j'ai ajouté en plongeant mon
regard dans le sien :

— C'est difficile à expliquer.

— Ce n'est pas nécessaire. Je comprends ce que tu veux dire.

— Es-tu... fais-tu partie d'un cercle de
sorciers?

— Plus maintenant. J'ai quitté mon cercle quand on a déménagé. Mais j'espère en reformer un ici.

— Tu veux dire que nous pourrions... former un cercle ici?

Avez-vous déjà vu rire un dieu? C'est à perdre le souffle. On est à la fois plein d'espoir, frissonnant et excité. C'est ainsi que je me sentais en regardant Cal.

— Pas ici, pas tout de suite, a-t-il précisé en souriant. Il faut étudier pendant un an et un jour avant de pouvoir être admis dans un cercle.

— Un an et un jour, ai-je répété. Et alors, tu es... quoi? Une sorcière? ou un sorcier?

Ces mots me semblaient trop dramatiques, caricaturaux. Nous parlions si bas, nos têtes se touchant presque, que j'avais l'impression que nous étions des conspirateurs. Son pendentif en argent, que je savais maintenant être un pentacle, symbole de la croyance Wicca, lui caressait la peau du cou dans l'ouverture en V de sa chemise. Derrière Cal, j'ai aperçu Robbie qui entrait dans la classe de maths. Il fallait que j'y aille dans une minute.

— Une sorcière, a dit Cal sans aucune hésitation. Même pour les hommes.

— Et toi, tu l'as fait? Tu as été initié? On aurait dit des mots à double sens, et j'ai prié pour ne pas rougir jusqu'aux oreilles.

— Oui, quand j'avais 14 ans.

— Vraiment?

— Oui. Ma mère présidait la cérémonie. Elle est grande prêtresse d'un cercle de sorcières. Il y avait donc déjà plusieurs années que j'étudiais la sorcellerie. Finalement, à 14 ans, j'ai demandé à être initié. Cela fait presque 4 ans... j'aurai 18 ans le mois prochain.

— Ta mère est une grande prêtresse? A-t-elle formé un nouveau cercle ici?

Dehors, le ciel s'assombrissait, et il faisait de plus en plus froid. À l'intérieur, la rencontre du club de maths était déjà commencé; il devait y faire chaud, mais Cal était dehors avec moi.

— Oui, a répondu Cal. Elle est célèbre chez les wiccans et elle connaissait déjà pas mal de monde quand nous avons déménagé ici. Je participe à ses cercles de temps en temps, mais il y a surtout des gens plus âgés. Et puis, une partie de la fonction de sorcière consiste à enseigner son savoir aux autres.

— Alors, tu es vraiment une... sorcière, ai-je repris lentement en tentant d'assimiler l'information.

— Ouais! a fait Cal, toujours aussi souriant.

Puis il s'est relevé et m'a tendu la main. Bizarrement, je l'ai laissé m'aider à me relever.

— Et qui sait, a-t-il ajouté, peut-être que l'année prochaine, à la même date, tu seras toi aussi une sorcière. De même que Raven, Robbie et tous ceux qui le voudront.

Un dernier sourire, et il n'était plus là. Il faisait soudain très noir dehors.

10

Le feu

«Si une femme couche avec un sorcier des Sept maisons, elle n'enfantera pas, à moins que ce dernier ne l'ait voulu. Si un homme couche avec une sorcière des Sept maisons, elle ne pourra pas enfanter.»

— *Les us et coutumes des sorcières*
Gunnar Thorvildsen, 1740

Ce soir, j'ai envoyé un message. Rêveras-tu de moi?
Viendras-tu vers moi?

— On dit que ce film est génial. T'as pas envie de le voir? Bakker sera là, a dit Mary K. qui entrait dans notre salle de bains commune en enfilant sa chemise.

Devant la grande glace, elle s'examinait sous tous les angles. À la fin, elle a fait un grand sourire à son reflet dans le miroir.

— Je ne peux pas, ai-je répondu, en me demandant pourquoi ma sœur de 14 ans avait eu sa part de la poitrine maternelle, mais aussi la mienne. Je vais à une fête ce soir. Où est-ce que vous vous êtes donné rendez-vous ?

— Au cinéma. La mère de Jaycee va nous y conduire. Aimes-tu Bakker ? Il est dans ta classe.

— Il est correct. Plutôt mignon, et il a l'air gentil. J'ai entendu dire qu'il avait un œil sur toi. Il n'a pas été trop... insistant, dis-moi ?

— Non, a fait Mary K., sûre d'elle. Il a toujours été super gentil.

J'étais en sous-vêtements devant ma penderie, incapable de décider quoi mettre.

— C'est où cette fête ? Que vas-tu porter ?

— Chez Cal Blaire, et je ne sais pas quoi mettre, ai-je avoué.

— Oooh, le nouveau, s'est moquée Mary K. en s'approchant pour me donner un coup de main. Il est tellement populaire! Toutes les filles que je connais rêvent de sortir avec lui. Bon sang! Morgan, ta garde-robe a vraiment besoin d'un bon coup de pouce.

— Merci, ai-je dit.

Elle a ri.

— Tiens, mets ça, a-t-elle dit en choisissant un de mes chemisiers. Tu ne le portes jamais.

C'était un minuscule haut vert olive, un cadeau de tante Margaret, la sœur aînée de maman. Elle et tante Eileen ne se parlent plus depuis des lustres, depuis qu'Eileen est sortie du placard. Comme ce haut me venait de tante Margaret, je me sentais déloyale envers Eileen chaque fois que je le portais. D'accord, je suis hypersensible.

— Je déteste cette couleur.

— Non, a dit Mary K. d'un ton catégorique. Il se marie parfaitement avec la couleur de tes yeux. Mets-le, avec tes *leggings* noirs.

J'ai enfilé le petit haut. Quelqu'un a sonné à la porte du rez-de-chaussée, puis j'ai entendu la voix de Bree.

— Oh, pas question! Ce T-shirt est trop court. Il m'arrive à peine à la taille. On va me voir les fesses, ai-je protesté.

— Et pourquoi pas? a fait Mary K., t'as des fesses magnifiques.

— Quoi? a fait Bree en entrant dans la chambre. J'ai tout entendu. Ce haut te va très bien. Allons-y.

Bree était belle comme la plus précieuse des topazes, et son regard était saisissant, accentué par ses cheveux artistiquement décoiffés. Elle avait peint ses lèvres d'un brun opalescent, et elle tremblait d'énergie et d'excitation. Son petit haut en velours marron moiré accentuait la courbe de ses seins, et son pantalon ficelle à taille basse laissait voir 10 bons centimètres de ventre plat. Autour de son nombril parfait, se déployait un tatouage temporaire en forme de soleil.

À côté d'elle, je me sentais comme une pauvre petite chose.

Mary K. m'a tendu les *leggings* et je les ai enfilés sans plus me soucier de mon apparence. Pour compléter l'ensemble et me cacher les fesses, j'ai attrapé une chemise de flanelle à carreaux appartenant à mon père. Bree trépignait d'impatience.

— On prendra Brise, elle roule comme une neuve.

Quelques minutes plus tard, j'étais assise sur un des sièges chauffant en cuir de sa voiture. Bree a appuyé sur l'accélérateur et a commencé à descendre ma rue.

— À quelle heure dois-tu rentrer, s'est renseignée Bree. La soirée pourrait être longue. Il était environ 21 h.

— Mon couvre-feu est à 1 h, mais mes parents seront endormis, et ils ne s'en apercevront sans doute pas si j'arrive un peu plus tard. Je pourrais aussi les appeler, on verra.

Bree n'a jamais besoin d'appeler ni d'expliquer quoi que ce soit à son père. Ils ont parfois davantage l'air de colocs que d'un père et de sa fille.

— Super, a-t-elle fait en pianotant sur le volant avec ses ongles vernis bruns.

Elle a tourné un peu vite sur Gallow Road, qui mène à l'un des quartiers les plus anciens de Widow's Vale. C'est là que Cal habite. Elle connaissait déjà le chemin par cœur.

C'était une maison cossue en grosses pierres des champs. Sur la façade, un vaste porche avec des colonnes qui supportaient un immense balcon envahi par la vigne. Le parterre était luxuriant, aménagé comme un authentique jardin à l'anglaise. J'étais presque triste en pensant à mon père qui taillait religieusement ses rhododendrons à chaque automne.

La massive porte en bois s'est ouverte et nous avons été accueillies par une femme vêtue d'une longue robe de lin d'un beau bleu violacé. Élégante et simple, sa tenue avait probablement coûté une fortune.

— Bonsoir, a dit la femme en souriant. Je suis la maman de Cal, Selene Belltower.

Elle avait une voix puissante et chantante qui a tout de suite piqué ma curiosité.

Une fois plus près d'elle, j'ai vu que Cal avait hérité de ses traits : cheveux brun foncé, yeux dorés en amande et pommettes saillantes. Elle avait une bouche bien dessinée et sa peau était lisse, sans la moindre ride, et je me suis demandé si elle n'avait pas déjà été mannequin.

— Laissez-moi deviner. Tu dois être Bree, a-t-elle dit en tendant la main à mon amie. Et toi, Morgan. J'ai eu l'impression qu'elle pouvait lire dans mes pensées quand nos regards se sont croisés. J'ai cligné des yeux et frotté mon front, car je ressentais un malaise physique. Mon malaise s'est dissipé lorsqu'elle nous a invitées à la suivre en souriant.

— Je suis contente qu'il se soit fait des amis. Ce n'était pas facile pour nous de déménager, mais mon employeur m'a offert une promotion et je ne pouvais pas refuser.

Je voulais lui demander ce qu'elle faisait comme travail, ou ce qui était arrivé au père de Cal, mais je n'aurais pas su poser ce genre de questions sans avoir l'air impolie.

— Cal est dans sa chambre, au troisième, a dit Mme Belltower en s'arrêtant au pied d'un impressionnant escalier en bois sculpté. Certains de vos copains sont déjà là.

— Merci, avons-nous répondu d'un ton un peu emprunté tandis qu'on montait l'escalier de bois foncé.

Sous nos pied, un épais tapis à fleurs assourdissait nos pas.

— Elle ne trouve pas étrange de laisser une bande de filles envahir la chambre de son fils, ai-je chuchoté, en pensant à maman qui ne veut voir aucun garçon dans la chambre de Mary K.

Bree me souriait, les yeux brillants d'excitation.

— Elle est d'un calme ! a-t-elle répondu à voix basse. D'autant plus qu'on est toute une bande.

La chambre de Cal occupait tout l'étage, avec de grandes fenêtres, dont certaines étaient rondes, d'autres carrées, certaines claires, d'autres en verre teinté. Le plafond s'élevait à trois mètres au-dessus du sol, au centre de la pièce, et à un mètre à peine sur les côtés. Le plancher était en bois foncé, non poli, les murs en bardeaux non peints. Sous un pignon, il y avait un bureau antique jonché de cahiers et de manuels scolaires.

Nous avons jeté nos vestes sur un long banc en bois. Puis, suivant l'exemple de Bree, j'ai enlevé mes chaussures.

Sur un des murs s'élevait une petite cheminée, dont le manteau tout simple était paré de chandelles de toutes les tailles. Il devait bien y en avoir une trentaine. Tout autour de la pièce immense, des dizaines de chandelles scintillaient, posées sur des chandeliers en fer forgé, des blocs de verre soufflé, à même le sol, et même sur des piles de livres anciens. La chambre était éclairée uniquement par les chandelles, et les ombres qui dansaient sur tous les murs étaient hypnotiques et magnifiques.

Puis, mon regard a été attiré vers le lit de Cal, en retrait dans une grande alcôve. C'était un lit bas et immense en bois foncé, de l'acajou ou de l'ébène, orné de quatre colonnes. En guise de matelas, un futon. Les draps en lin couleur crème n'avaient pas été tirés, comme s'il venait tout juste d'en sortir. Des chandelles brûlaient sur des tables basses de chaque côté du lit.

Le reste du groupe était rassemblé au fond de l'alcôve, contre le mur baigné d'ombres. En nous voyant arriver, Cal s'est avancé vers nous.

— Morgan, merci d'être venue, a-t-il dit, toujours aussi décontracté. Bree, je suis content que tu sois revenue.

Bree était donc déjà venue ici…

— Merci de m'avoir invitée, ai-je répondu sèchement, en tirant sur mon chandail trop court.

Cal a souri et nous a prises par la main, pour nous conduire auprès des autres. En nous voyant, Robbie, qui buvait son jus de raisin dans une jolie coupe à vin, nous a fait un petit salut de la main. Beth Nielson était là également, les cheveux teints en blond platine. Elle avait la peau d'un beau brun clair, les yeux verts et un afro court qui changeait de couleur suivant ses humeurs. Elle me faisait parfois penser à une lionne, tandis que Raven avait l'air d'une panthère. Ensemble, elles formaient une paire fascinante.

— Joyeux esbat, a dit Robbie en levant son verre.

— Joyeux esbat, a répondu Bree.

Je savais, pour l'avoir lu, que le terme esbat était un autre mot pour désigner un rassemblement où l'on s'adonnait à la magye.

Jenna était assise sur les genoux de Matt, lui-même enfoncé dans un fauteuil bas recouvert de velours. Ils parlaient avec Sharon Goodfine, assise par terre, les bras autour des genoux. Était-elle ici uniquement pour Cal, ou s'était-elle soudain sentie attirée par la Wicca ? J'avais toujours pensé qu'elle avait la vie facile, avec son père orthodontiste qui lui ouvrait toutes les portes de l'avenir. Elle était pulpeuse et jolie. En fait, elle avait l'air beaucoup plus vieille que son âge.

— Santé, a dit Cal en nous tendant une coupe de jus de raisin.

Un parfum de patchouli a envahi la pièce, et j'ai vu entrer Raven, suivie d'Ethan. Ce soir, Raven ressemblait à une prostituée spécialisée en sado-maso. Elle portait un collier de cuir noir, un collier de chien, relié par des lanières à son corsage en cuir noir. Son pantalon de *spandex* luisant était si serré, qu'on aurait pu croire que quelqu'un l'avait cousu sur elle. Elle serait passée inaperçue à New York, mais ici, à Widow's Vale, j'aurais payé cher pour la voir entrer à l'épicerie. Cal la trouvait-il attirante ?

Ethan était égal à lui-même, débraillé, la tignasse indisciplinée et l'air complètement parti. Cela ne m'avait pas paru bizarre que les gens restent la première fois que nous avions fait un cercle. Je connais des tas de jeunes qui sont prêts à essayer n'importe quoi. Mais c'était intéressant qu'à part Todd, Alessandra et Suzanne, ils soient tous revenus. Je les percevais différemment, comme si je les voyais tous pour la première fois.

Ce groupe s'était parfois reformé au collège, dans un nouvel assemblage où les cliques se mélangeaient, mais ici, nous étions répartis comme avant : j'étais près de Robbie; Jenna, Matt et Sharon formaient un trio, et Bree se partageait entre eux et moi;

tandis que Beth, Raven et Ethan restaient ensemble dans leur coin.

— Bien, tout le monde est là, a dit Cal. La semaine dernière, nous avons célébré Mabon et nous avons formé un cercle de bannissement. Cette semaine, j'ai pensé que nous formerions un cercle informel pour apprendre à mieux nous connaître. Alors, commençons, a-t-il lancé en prenant un morceau de craie blanche, avec lequel il a dessiné un grand cercle qui remplissait presque tout ce coin de l'étage.

Jenna et Matt ont repoussé le canapé pour faire de la place.

— On peut former un cercle à partir de n'importe quoi, expliquait Cal en dessinant. Sur le plancher, on pouvait encore deviner les lignes estompées de cercles précédents. Même si Cal traçait son cercle à main levée, le résultat final était rond et symétrique, presque parfait, comme l'autre soir, lorsqu'il avait dessiné à même le sol, à l'aide d'une perche.

— On peut utiliser un morceau de corde, tracer un cercle composé d'objets, comme des coquillages ou des cartes de tarot, ou encore des fleurs. Le cercle représente les frontières de notre énergie magyque.

Nous sommes tous entrés dans le cercle et Cal l'a refermé en joignant les deux extrémités, comme il l'avait fait la semaine précédente. Que se passerait-il si quelqu'un sortait du cercle?

Cal a pris un petit bol d'étain rempli d'une substance blanche. L'espace d'un instant, j'ai eu peur que ce soit de la cocaïne ou un truc du genre, mais il en a pris une petite poignée et l'a répandue tout autour du cercle.

— Avec ce sel, je purifie notre cercle, a-t-il déclaré.

Oui, ça me revenait maintenant, il avait utilisé du sel la dernière fois. Il a déposé le bol sur la ligne du cercle.

— Je place ce bol au nord, pour invoquer un des quatre éléments : la terre. La terre féminine et nourricière.

En faisant des recherches en ligne, ces derniers jours, j'avais découvert qu'il y avait différentes sectes wicca, comme c'est le cas dans presque toutes les religions. Je m'étais arrêtée sur celle dont Cal avait dit faire partie et j'avais trouvé plus d'un millier de sites Web.

Puis, Cal a mis un bol identique rempli de sable et d'un bâton d'encens allumé, sur le côté est du cercle.

— Cet encens symbolise l'air, un autre des quatre éléments, a dit Cal, concentré mais incroyablement détendu. L'air représente l'esprit, l'intelligence, la communication.

Du côté sud, il a placé un cierge de couleur crème, d'environ 45 centimètres de hauteur.

— Ce cierge représente le feu, le troisième élément, a expliqué Cal en me regardant. Le feu est un élément très puissant, symbole de transformation, de réussite et de passion.

Son regard me mettait mal à l'aise, et j'ai baissé les yeux pour regarder la chandelle. Flamme, jolie flamme, claire est mon âme, ai-je pensé.

Pour finir, Cal a mis un bol d'étain rempli d'eau, à l'ouest.

— L'eau est le dernier des quatre éléments. L'eau est pour les émotions, l'amour, la beauté et la guérison. Chacun des quatre éléments correspond à un signe astrologique. Les Gémeaux, la Balance et le Verseau sont les signes d'air. Les signes d'eau sont le Cancer, le Scorpion et les Poissons. Les signes de terre sont le Taureau, la Vierge et le Capricorne. Le Bélier, le Lion et le Sagittaire sont des signes de feu. De nouveau, Cal a posé son regard sur moi. Avait-il deviné que j'étais Sagittaire, un signe de feu? Maintenant, joignons les mains, a-t-il ajouté.

J'ai pris la main de Robbie et la main de Matt, qui étaient près de moi. La main de Robbie était chaude et rassurante, alors que celle de Matt était douce et fraîche. J'aurais souhaité être à côté de Cal comme la première fois, mais il était pris en sandwich entre Bree et Raven. Dommage.

— Maintenant, fermons les yeux et concentrons nos pensées, a dit Cal en inclinant la tête. À quatre, inspirez et expirez lentement. Laissez vos pensées s'apaiser, vos soucis se dissiper. Il n'y a ni passé, ni futur, seulement ici et maintenant, et nous tous réunis dans cette pièce. Sa voix était égale et calme. J'ai penché la tête et fermé les yeux, puis j'ai pris une profonde inspiration en pensant à la lumière des chandelles et à l'encens. C'était très relaxant. Une part de moi était consciente de la présence des autres dans la chambre, de leur respiration tranquille et de leurs mouvements de pieds, tandis qu'une part de moi se sentait pure et lointaine, comme flottant au-dessus du cercle et observant la scène d'en haut.

— Ce soir, nous allons accomplir un rituel de purification et de focalisation, a expliqué Cal. Nous célébrerons bientôt Samhain, notre nouvel an, et la plupart des sorcières font un énorme travail spirituel pour s'y préparer.

Nous nous sommes mis à tourner, main dans la main, mais nous avancions lentement dans le sens des aiguilles d'une montre, contrairement à la première fois.

J'étais nerveuse à l'idée de la fin du rituel. Samedi dernier, après la cérémonie, j'avais eu l'impression d'avoir une hache dans la poitrine, et je m'étais sentie comme de la merde pendant deux jours. Je craignais que ça ne se reproduise, mais j'ai pris sur moi, car je voulais tenter le coup. Ensuite, Cal a commencé à chanter :

Eau, lave-nous.
Air, purifie-nous.
Feu, fais de nous des êtres entiers et purs.
Terre, recentre-nous.

Pendant plusieurs minutes, nous avons fait la ronde en chantant en chœur. Ouvrant l'œil de temps en temps, j'ai vu mes camarades commencer à se détendre, apparemment légers et heureux. Ethan et Raven avaient l'air plus légers, plus jeunes et moins sombres. Bree regardait Cal. Robbie avait fermé les yeux.

Accélérant le rythme, nous chantions de plus en plus fort, lorsque soudainement, une énergie palpable s'est installée autour de moi et à l'intérieur du cercle et m'a fait tressaillir. J'ai jeté un coup d'œil rapide autour de moi, surprise. Cal a croisé mon regard et a souri. Les yeux clos, Raven chantait et tournait sans s'interrompre. Les autres paraissaient intensément concentrés, mais pas du tout inquiets.

Je me sentais écrasée, d'une certaine manière, comme si une grosse boule molle poussait sur moi de toutes parts. Mes cheveux étaient soudain vivants, débordants d'énergie, et j'ai eu le souffle coupé en regardant Cal, car je voyais scintiller son aura autour de sa tête.

J'étais éblouie. Une bande de lumière rouge pale scintillait autour de lui, chatoyant à la lumière des chandelles. Puis, j'ai vu que tout le monde possédait une aura. Celle de Jenna était argentée. Matt était entouré de vert, et Raven d'un beau halo orangé. L'aura de Robbie était blanche. Bree baignait dans une pâle lueur orangée. L'aura de Beth était noire, celle d'Ethan brune, et celle de Sharon rose, comme ses joues. Est-ce que j'avais une aura ? De quelle couleur était-elle ? Qu'est-ce que cela signifiait ? J'étais émerveillée, heureuse, ébahie.

Comme la première fois, la ronde s'est arrêtée abruptement et nous avons tous levé les mains en l'air, bras tendus vers le ciel. Mon pouls résonnait dans ma tête et ma poitrine, mais je n'ai pas perdu l'équilibre. J'ai pris une bonne inspiration et je me suis massé les tempes en espérant que personne ne le remarquerait.

— Que cette énergie vous purifie! s'est exclamé Cal, en se frappant la poitrine. Nous l'avons imité et j'ai senti une bouffée de chaleur m'envahir et se nicher dans mon ventre. J'étais calme, paisible et alerte. Immédiatement après, j'ai senti la nausée m'envahir. J'avais besoin d'aide.

Cal a tout de suite traversé le cercle pour s'approcher de moi. J'avais la gorge sèche, les yeux exorbités, et j'espérais ne pas dégobiller devant tout le monde. Je n'avais qu'une envie, pleurer.

— Assieds-toi, a dit Cal doucement, en mettant ses mains sur mes épaules. Assieds-toi tout de suite.

Je me suis assise par terre. J'avais la nausée à force d'avoir tourné et je me sentais affreusement mal.

— C'est quoi encore ? a fait Raven, exaspérée, mais personne n'a fait attention à elle.

— Penche-toi en avant et appuie ton front sur le plancher, m'a conseillé Cal.

J'étais assise en tailleur, et il avait mis sa main sur ma nuque. Je me suis immédiatement sentie mieux. À l'instant où mon front a touché le bois froid, les vagues de nausée se sont estompées, et j'ai repris mon souffle.

— Est-ce que ça va ? a demandé Bree en s'agenouillant près de moi et en me massant le dos.

— Attends, a dit Cal en la repoussant. Attends qu'elle soit bien centrée.

— Qu'est-ce qui ne va pas ? s'est inquiétée Jenna.

— Elle a canalisé trop d'énergie, a expliqué Cal, sa main toujours posée sur ma nuque. Comme à Mabon. Elle est très, très sensible ; un vrai canal énergétique.

— Ça va mieux maintenant ? m'a-t-il demandé au bout d'une minute.

— Oui, ai-je répondu en relevant lentement la tête.

Je me sentais vulnérable en regardant les autres autour de moi. Mais physiquement, je me sentais bien. Je n'étais plus désorientée, et la nausée avait disparu.

— Veux-tu nous dire ce qui s'est passé? a demandé Cal gentiment. Ce que tu as vu?

L'idée de décrire les auras de chacun m'intimidait; c'était trop... personnel. En fait, j'ignorais si les autres avaient vu la même chose que moi. Je n'étais sûre de rien, alors j'ai répondu non.

— OK, a dit Cal en se relevant, toujours souriant. C'était extraordinaire, mes amis. Merci à tous. Maintenant, allons nous baigner.

11

L'eau

« Les nuits de pleine lune ou de nouvelle lune sont tout spécialement indiquées pour la pratique de la magye. »
— *Manuel pratique des rituels lunaires*
Marek Hawksight, 1978

— Oui, a fait Bree en trépignant. On va se baigner !

— Il y a une piscine dans la cour arrière, a dit Cal en traversant la pièce et en ouvrant une grosse porte en bois. L'air frais du soir s'est engouffré dans la chambre et a fait danser les flammes des chandelles.

— Excellente idée, a acquiescé Jenna.

— Une petite saucette ne serait pas de refus, s'est écrié Ethan en essuyant son visage avec la manche de sa chemise.

Il était en nage, son front humide derrière les boucles serrées de ses cheveux.

Raven et Beth ont échangé un sourire complice, les faisant ressembler aux chats siamois dans *La Belle et le Clochard*, et ont suivi les autres dehors. Robbie a hoché la tête et leur a emboîté le pas. Bree était déjà sortie.

— Hum, c'est une piscine extérieure ? ai-je demandé à Cal.

— Oui, mais elle est chauffée. Ça va aller.

Ce qui me chicotait vraiment, c'était que je n'avais pas apporté de maillot de bain, mais je sentais bien que tout le monde se moquerait de moi si j'osais dire le fond de ma pensée. J'ai passé la porte, derrière Sharon, Cal derrière moi. Dehors, un escalier en colimaçon menait au rez-de-chaussée, puis au patio. Je me suis tenue à la rampe et j'ai descendu l'escalier en espérant ne pas perdre pied.

Derrière moi, Cal avait mis sa main sur mon épaule.

— Ça va ?

J'ai fait signe que oui.

Le patio était en pierres de taille. Les meubles de jardin recouverts de housses ressemblaient à des fantômes carrés. Un talus d'arbrisseaux parfaitement taillés en rectangles séparait le patio du parterre. Un passage avait été aménagé entre les buissons, et Cal pointait le doigt dans cette direction.

J'ai regardé le ciel. La lune croissante ressemblait à un biscuit à moitié grignoté, mais la lumière qu'elle projetait éclairait nos pas. Sans ma veste et sans chaussures, je frissonnais comme feuille au vent. Sous mes pieds, la pelouse était douce et moelleuse comme du velours.

J'ai aperçu la piscine où la pelouse prenait fin. D'allure classique, presque grecque, c'était un rectangle tout simple, sans tremplin et sans montants de métal. À chaque extrémité s'élevaient de hautes colonnes de pierre couvertes de vigne, dont les feuilles avaient commencé à tomber. Sur un des côtés, j'ai vu des cabines qui m'ont permis d'espérer que sa famille gardait des maillots de bain pour ceux qui, comme moi, n'avaient pas prévu le coup.

Puis, j'ai vu que Jenna et Matt étaient déjà nus. J'ai écarquillé les yeux et je me suis dit : pas question. J'ai ensuite aperçu Bree, en soutien-gorge et en slip, en train de ranger ses vêtements sur une chaise longue.

— Bree ! ai-je lancé en la voyant dégrafer son soutien-gorge sans la moindre gêne.

Puis elle a enlevé sa petite culotte. Elle était sculpturale ; on aurait dit une statue de marbre sous la lumière de la lune. Raven et Beth s'aidaient mutuellement à se déshabiller en riant. Toutes nues, elles ont couru et ont sauté dans la piscine, en faisant tinter leurs bijoux.

À leur tour, Jenna et Matt se sont jetés à l'eau. Ils ont traversé la piscine à la nage. Jenna criait, plongeait et refaisait surface en lissant ses cheveux. Elle semblait intemporelle, presque païenne.

J'avais le front couvert de sueur et je priais le ciel, les étoiles et l'Univers que cette fête ne se transforme pas en orgie. Je n'étais tellement pas prête pour cela.

— Détends-toi, a fait Cal derrière moi.

En entendant le froissement de ses vêtements, j'ai dû faire de gros efforts pour ne pas m'évanouir. Dans une minute, j'allais le voir nu. Cal à poil. Nu comme un ver. Oh, mon Dieu. Je voulais le voir, mais j'étais rongée par l'incertitude. J'ai sursauté lorsqu'il a mis sa main sur mon épaule.

— Détends-toi, a-t-il répété, en me forçant à pivoter pour le regarder.

Il avait enlevé sa chemise mais avait gardé son jean.

— N'aie pas peur, ça ne tournera pas en orgie.

J'étais surprise qu'il ait si bien lu dans mes pensées.

— Je ne m'en faisais pas pour ça, ai-je menti, consternée d'entendre les trémolos dans ma voix. C'est seulement que... je m'enrhume facilement.

Il a ri et a commencé à détacher son jean. Je suffoquais.

— Tu n'attraperas pas le rhume, m'a-t-il rassurée.

Il a laissé tomber son pantalon, et j'ai regardé ailleurs. J'en ai été quitte pour voir Robbie dévaler les marches dans son plus simple apparat, avant de se jeter à l'eau.

Ethan s'était assis pour enlever ses bas. Il était torse nu, cigarette aux lèvres, son jean usé à moitié dégrafé. Il a pris une dernière bouffée, a jeté son mégot par terre et s'est levé en laissant glisser son pantalon. En voyant passer Bree et Sharon, il a plissé les yeux pour mieux voir leur corps, puis, d'un coup de pied agile, a fait voler son jean avant de les suivre dans la piscine. Sans la moindre hésitation, il a sauté dans la partie profonde, et j'ai prié pour qu'il sache nager et qu'il ne soit pas *stone* au point de se noyer.

Raven et Beth faisaient la bombe et s'éclaboussaient en riant. Les gouttes d'eau faisaient scintiller la peau foncée de Beth. Ethan avait refait surface tout près d'elle. Il souriait comme un renard. Ses cheveux mouillés lui dégageaient le visage et, débarrassé de ses vêtements informes, il était plus mignon que d'habitude. Sharon le regardait, surprise, l'air de se demander qui était ce garçon.

— Viens, Morgan, a fait Cal en me tendant la main.

Il était complètement nu. Mes joues sont devenues brulantes tandis que j'essayais de ne pas baisser les yeux.

— Je ne peux pas, ai-je murmuré, espérant que personne ne m'entendrait.

Je me sentais bête à mourir. Rien qu'une poule mouillée. En regardant vers la piscine, j'ai vu que Bree nous observait. Je lui ai fait un petit sourire. Elle m'a rendu mon sourire sans lâcher Cal des yeux.

Il attendait. Si nous avions été seuls tous les deux, j'aurais peut-être pu surmonter mon trouble. Peut-être aurais-je pu me dévêtir, tout en priant pour qu'il ne soit pas de ces garçons qui ont une fixation sur les seins. Hélas, ce soir-là, toutes les filles étaient plus jolies et mieux faites que moi. Elles avaient toutes de plus gros seins que moi. Ceux de Sharon étaient énormes.

Il fallait que je trouve une porte de sortie. J'étais complètement dépassée et incapable de réagir autrement.

— Je t'en prie, viens te baigner, disait Cal. Personne ne va te sauter dessus, je te le promets.

— Ce n'est pas ça, ai-je marmonné.

Je voulais le regarder, mais j'en étais incapable tant qu'il me regardait ainsi. Ma timidité avait pris le dessus.

— Tu sais, l'eau a de nombreux pouvoirs. L'immersion, en particulier sous la lune, peut se révéler très magyque ; l'eau produit un type très spécial d'énergie. Je veux que tu puisses ressentir cette énergie. Tu peux garder ton soutien-gorge et ta petite culotte.

— Je ne porte pas de soutien-gorge, ai-je répondu, pour m'en mordre la langue aussitôt après.

— Vraiment ! a-t-il fait en souriant.

— Pour tout dire, je n'en ai pas vraiment besoin, ai-je grogné, mécontente.

— Vraiment ? a-t-il repris en hochant la tête sans cesser de sourire.

Je paniquais. J'avais atteint ma limite.

— Il faut que je rentre. Merci pour le cercle, ai-je ajouté en tournant les talons.

J'étais venue dans la voiture de Bree, je me préparais donc à une longue marche dans l'air froid de la nuit. Passer de l'émerveillement et de la félicité du cercle à cette douloureuse humiliation, cela me semblait trop cruel. Je ne rêvais plus qu'à rentrer chez moi et à retrouver mon lit.

Mais, allongeant le bras, Cal m'a agrippée par le dos de mon chandail, me ramenant vers lui en douceur. J'avais cessé de respirer et de réfléchir. Il s'est penché, a glissé une main sous mes genoux, et m'a soulevée. Étrangement, je ne me souviens pas de m'être sentie lourde ou maladroite dans ses bras ; j'étais plutôt légère et minuscule. Mes sens ne répondaient plus normalement. Je n'avais plus conscience des gens autour de nous.

Il m'a emportée dans la partie peu profonde de la piscine. Je n'ai rien dit. J'ignore si j'aurais pu ouvrir la bouche. Je ne me suis pas débattue. Puis, j'ai senti la caresse de l'eau, qui était exactement à la même température que mon sang. Nous étions immergés, l'un contre l'autre, sous la lune.

C'était terrifiant, étrange, mystérieux, excitant et bouleversant.

Et c'était magyque.

12

La roue tourne

« Le jour où tu seras pris au centre de deux clans en guerre, couche-toi à plat ventre et dis tes prières. »

— Vieux dicton écossais

Le lendemain, en rentrant chez moi après la messe, Bree était assise sur les marches du perron, congelée et furieuse.

La veille, Beth m'avait raccompagnée chez moi parce que, contrairement à Bree, je devais respecter le couvre-feu imposé par mes parents. Mais j'avais deviné, au regard glacial qu'elle m'avait jeté quand j'étais partie de chez Cal, que la tempête se préparait. Je l'ai invitée à entrer et nous sommes montées dans ma chambre.

— Je pensais que tu étais mon amie, s'est-elle écriée, aussitôt la porte refermée.

Je n'ai pas fait semblant de ne pas comprendre à quoi elle faisait allusion.

— Bien sûr que je suis ton amie, ai-je dit, en déboutonnant la robe que j'avais mise pour assister à la messe.

— Alors, explique-moi ce qui est arrivé hier soir, a-t-elle rugi en croisant les bras sur sa poitrine et en s'affalant au bord du lit. Toi et Cal, dans la piscine.

— Je ne sais pas comment l'expliquer, ai-je répondu en enfilant un pull et en sortant des chaussettes de mon tiroir. Je sais que Cal te plaît. Et je sais que je ne fais pas le poids à côté de toi. Je n'ai rien fait. Bon sang, dès que j'ai pu me tenir debout dans l'eau, il m'a déposée, ai-je continué en enfilant mon plus vieux et plus confortable jeans, tournant automatiquement les bords de quelques centimètres.

— Alors, c'était quoi ta petite scène juste avant? Tu jouais la sainte nitouche?

Tu espérais peut-être qu'il t'arrache tes vêtements?

Il y avait une pointe de mépris dans sa voix, et je sentais monter la colère en moi.

— Bien sûr que non! ai-je répondu d'un ton brusque. S'il m'avait arraché mes vêtements, je serais rentrée chez moi en hurlant et j'aurais appelé la police. Ne fais pas l'idiote.

Bree s'était levée et me pointait du doigt, l'air furieux. Je ne l'avais jamais vue dans cet état.

— Ne fais pas l'idiote toi-même! Tu sais que je suis amoureuse de lui! Ce n'est pas un petit béguin, je l'aime! Et je le veux. Et je veux que *tu* le laisses tranquille! a dit Bree, l'air furieux.

— Parfait! ai-je repris en hurlant presque. Mais je n'ai rien fait, et je ne peux pas contrôler ses gestes, ai-je ajouté les bras en croix. Peut-être qu'il s'intéresse à moi uniquement parce qu'il voudrait que je sois une sorcière.

Au moment où je disais cela, nous nous sommes dévisagées. Intérieurement, je sentais soudain que c'était la vérité. Bree a froncé les sourcils tandis qu'elle repensait à la soirée de la veille.

— Écoute, ai-je repris plus calmement. J'ignore ce qu'il fait. Pour ce que j'en sais, il a une petite-amie quelque part, ou alors, Raven lui a peut-être déjà mis le grappin dessus. Mais ce que je sais, c'est que je ne tente pas de le séduire. C'est tout ce que je peux te dire. Et il faudra t'en contenter.

Puis, j'ai commencé à me coiffer par petits mouvements saccadés.

Bree m'a regardée encore un moment, puis son visage s'est défait et elle s'est effondrée sur mon lit.

— OK, a-t-elle dit, en s'efforçant de ne pas pleurer. T'as raison, je suis désolée. Tu n'as rien fait. La vérité, c'est que je suis jalouse, a-t-elle avoué, en se cachant le visage de ses mains et se laissant tomber dans mes oreillers. Lorsque je l'ai vu te prendre dans ses bras, ça m'a rendue folle. Jamais je n'ai désiré un garçon à ce point, et j'ai tout fait, la semaine dernière, pour me rapprocher de lui, mais on dirait qu'il ne me voit pas.

J'étais encore fâchée, mais j'avais de la peine pour elle.

— Bree, lui ai-je dit en m'assoyant sur la chaise près de mon bureau. En déménageant, Cal a quitté son cercle, et il espère trouver parmi nous des gens qui pourront l'aider à en former un nouveau. Il sait que je m'intéresse à la Wicca, et je pense qu'il a apprécié le fait que je réagisse si fortement aux cercles. Peut-être se dit-il que je ferais une bonne sorcière, et c'est ce qu'il veut.

Bree m'a regardée, ses yeux remplis de larmes.

— Les rituels du cercle te font-ils vraiment cet effet, ou fais-tu seulement semblant ? a-t-elle demandé la voix brisée.

— Bree ! ai-je protesté, les yeux exorbités. Pour l'amour du ciel ! Pourquoi ferais-je semblant ? C'est embarrassant et inconfortable. Tu me connais mieux que ça, non ? Alors pour répondre à ta question, non, je ne fais pas semblant de réagir ainsi.

Bree s'est caché le visage dans les mains, et elle s'est remise à pleurer.

— Je suis désolée, a-t-elle fait en reni-flant. Ce n'est pas ce que je voulais dire. Je sais que tu ne fais pas semblant. Je perds la boule.

Elle s'est levée et a pris un Kleenex, puis elle est venue vers moi et m'a serrée dans ses bras. Je n'en avais pas vraiment envie, mais je me suis laissée faire.

— Je suis désolée, répétait-elle, en pleurant sur mon épaule. Pardonne-moi, Morgan.

Nous sommes restées ainsi pendant quelques minutes. J'avais envie de pleurer moi aussi. Avez-vous déjà eu peur de vous mettre à pleurer, parce que vous ne saviez pas si vous alliez être capable de vous arrêter ? C'est ainsi que je me sentais. C'était horrible pour moi de me disputer avec Bree, quel que soit le sujet de notre désaccord. Le fait de désirer Cal et de ne pas y avoir droit me désespérait complètement ; l'idée que ma meilleure amie était amoureuse du même garçon était un cauchemar. En outre, le fait de découvrir le monde complexe de la Wicca et de me sentir attirée dans cet univers me bouleversait et me faisait presque peur.

Tranquillement, Bree a séché ses larmes et a desserré son étreinte pour se moucher le nez et s'essuyer les yeux.

— Je suis désolée, a-t-elle murmuré une autre fois. Est-ce que tu me pardonnes?

Je n'ai hésité que quelques instants. Je veux dire, j'aime Bree. Après ma famille, c'est elle que j'aime le plus au monde. J'ai poussé un soupir, et nous nous sommes assises sur mon petit lit.

— Écoute Bree, hier soir, je ne voulais pas enlever mes vêtements parce que... ça me gêne. Je l'avoue, OK! Je suis une vraie poule mouillée. Il faudrait me payer cher pour que je me mette à poil à côté de toi et des autres filles.

Bree a reniflé et s'est tourné vers moi.

— Qu'est-ce que tu racontes?

— Bree, je t'en prie. Je sais de quoi j'ai l'air. J'ai un miroir. Je ne suis pas mal, mais je ne suis pas toi. Je ne suis pas Jenna. Je ne suis même pas Mary K..

— Tu es très bien, a protesté mon amie.

J'ai roulé des yeux.

— Bree, je suis très… banale. N'as-tu pas remarqué que la nature a oublié de me donner des seins.

Le regard de Bree s'est arrêté sur ma poitrine, et j'ai croisé les bras.

— Non, tu es seulement, tu sais… a dit Bree sans conviction.

— Je suis absolument et totalement plate, ai-je dit. Alors, si tu crois que je vais me pavaner nue à côté de toi — miss 36C — de Jenna, Raven, Beth, et de *Miss janvier* Sharon Goodfine, tu te goures complètement. Et surtout pas devant nos camarades de classe! Ne sois pas ridicule! Crois-tu que je veux vraiment qu'Ethan Sharp sache de quoi j'ai l'air toute nue? Doux Jésus, pas question!

— Ne prononce pas le nom de Dieu en vain, a lancé Mary K. en sortant de la salle de bains. Avec qui vous êtes-vous baladées à poil?

— Oh, merde, Mary K.! Je ne savais pas que tu étais là.

— Ça me paraît évident, a-t-elle continué, un petit sourire suffisant sur les lèvres. Maintenant, dis-moi avec qui vous vous êtes baladées toutes nues ? Est-ce que je pourrai venir la prochaine fois ? J'adore mon corps.

J'ai éclaté de rire et je lui ai lancé un oreiller. Bree riait aussi, et j'étais soulagée de voir que notre dispute était oubliée.

— Tu ne te déshabilleras nulle part, ai-je repris, en essayant de prendre un air sérieux. Tu as 14 ans, quoi qu'en pense Bakker Blackburn.

— Tu sors avec Bakker ? lui a demandé Bree. Je suis déjà sortie avec lui.

— C'est vrai ?

— Oh, c'est vrai, je ne m'en rappelais plus, ai-je ajouté.

— Nous sommes sortis ensemble deux ou trois fois, juste avant le secondaire, a répondu Bree en s'étirant.

— Et alors ?

— Je l'ai laissé tomber, a dit Bree sans le moindre remords. Ranjit m'avait demandé de sortir avec lui et j'avais dit oui. Ranjit a des yeux...

— Puis Ranjit t'a laissée tomber pour sortir avec Leslie Raines, ai-je ajouté, l'histoire entière me revenait en mémoire. Ils sont toujours ensemble.

— La roue tourne, a dit Bree.

Ce qui, bien sûr, est un des grands principes de la Wicca.

13

Agitation

« Si tu regardes, tu verras la marque d'une maison à ses descendants. Ces marques prennent de nombreuses formes, mais un bon chasseur de sorcières peut toujours en repérer une. »

— *Notes d'un serviteur de Dieu*
Frère Paolo Frederico, 1693

Je ne comprends pas la réaction de ma mère. Ce n'est pas comme si j'avais fait quelque chose de mal. J'espère qu'elle va se calmer. Il le faut, il le faut à tout prix.

Lundi après-midi, je ne me suis pas présentée à mon club d'échecs. Je suis retournée à la boutique Magye pratique. Pendant que je roulais, je m'extasiais sur la beauté de l'automne débutant, les couleurs vives et chatoyantes précédant la petite mort de l'hiver. Les herbes hautes qui bordaient la route étaient brune et duveteuses. Ici et là, j'apercevais des petits stands où les fermiers vendaient des citrouilles, du maïs, des courges, des pommes et des tartes.

Une fois à Red Kill, je me suis garée juste en face de la boutique, où j'ai retrouvé l'atmosphère tamisée et les odeurs mélangées d'herbes, d'huiles et d'encens. J'ai respiré profondément, le temps que mes yeux s'habituent à la faible lumière. Il y avait plus de clients qu'à ma première visite.

J'ai longé les rayons de livres à la recherche d'une histoire générale de la Wicca. La veille, j'avais fini de lire mon livre sur les Sept clans, et j'étais impatiente d'en apprendre davantage.

La première personne que j'ai rencontrée était Paula Steen, la nouvelle petite amie de tante Eileen. Elle était accroupie et regardait les livres sur le rayon du bas. En levant les yeux, elle m'a tout de suite reconnue et m'a souri.

— Morgan! C'est chouette de te rencontrer ici. Ça va? a-t-elle demandé en se relevant.

— Ça va, et toi? ai-je demandé en lui rendant son sourire

J'aimais beaucoup Paula, mais je ne m'attendais pas à la rencontrer ici et je me sentais un peu nerveuse. Elle le dirait à tante Eileen, et tante Eileen le dirait à ma mère. Ce n'est pas que je cachais des choses à mes parents, pas exactement, mais je ne leur avais jamais parlé des cercles ni de Cal, encore moins de la Wicca.

— Très bien. Je travaille trop, comme toujours. Aujourd'hui, j'ai eu une annulation pour une chirurgie, alors j'ai fait la clinique buissonnière et je suis venue fouiner ici. J'aime cet endroit, on y trouve toutes sortes de choses passionnantes.

— Oui… T'intéresses-tu à la Wicca?

— Moi, non, a-t-elle répondu en riant. Je sais par contre que des tas de gens s'y intéressent. La Wicca est très pro-femmes; les lesbiennes aiment ça. Mais, je suis juive… Non, je m'intéresse plutôt aux livres sur l'homéopathie et la médecine animale. Je viens d'assister à une conférence sur le massage des animaux, et j'aimerais trouver des livres sur le sujet.

— Vraiment ? Tu veux dire comme faire un massage à son berger allemand ?

Elle a éclaté de rire.

— En quelque sorte. Comme on le fait pour les gens, on pourrait parler longtemps des bienfaits du toucher.

— Génial.

— Mais passons. Et toi ? Tu t'intéresses à la Wicca ?

— Eh bien… disons que je suis curieuse, ai-je répondu, l'air de ne pas y toucher, car je ne voulais pas laisser voir mon agitation. Je suis catholique et tout, comme mes parents, mais oui… la Wicca m'intéresse.

— Comme dans tout : l'important, c'est l'énergie que tu y mets, a dit Paula.

— Oui, tu as raison.

— OK, il faut que je file, Morgan. Ça m'a fait plaisir de te revoir.

— Moi aussi. Dis bonjour à tante Eileen.

Paula a ramassé ses livres et s'en est allée. J'ai continué ma recherche et mis la main sur un livre d'histoire générale où les différentes branches de la Wicca étaient explicitées : Pecti-Wita, Caledonii, Celtique, Teutonique, Strega et d'autres, dont j'avais appris l'existence dans Internet. Je l'ai pris et j'ai jeté un coup d'œil aux objets alignés de l'autre côté : encens, mortiers et pilons, chandelles colorées. Il y avait une chandelle représentant un homme et une femme enlacés, et j'ai aussitôt pensé à Cal et moi. Mais tout de suite après, j'ai pensé à Bree et Cal. Si je faisais brûler cette chandelle, Cal serait-il à moi ? Et si oui, comment Bree réagirait-elle ?

C'était une pensée complètement stupide. Je l'ai chassée très vite de ma tête et suis allée faire la file devant la caisse, entourée des senteurs de cannelle et de muscade.

— Morgan, c'est bien toi, que fais-tu ici ?

En me retournant pour voir qui m'adressait la parole, je suis arrivée face à face avec Mme Pétrie, qui est membre de notre église.

— Bonjour, Madame Pétrie, ai-je dit, un peu sèchement.

Quelle journée pleine de surprises. Je m'étais attendue à ce que mon aventure de l'après-midi soit un peu plus calme et privé.

Mme Pétrie était plus petite que moi, mais elle n'avait pas changé d'un poil avec les années. Elle portait toujours des ensembles deux pièces proprets, des collants et des chaussures assorties. À l'église, elle portait toujours un chapeau. Et voilà qu'elle lisait les titres des livres que j'avais entre les mains.

— Je suppose que tu fais une recherche pour un projet scolaire, a-t-elle dit en souriant.

— Oui, ai-je menti en hochant la tête. Nous étudions les différentes religions du monde.

— Comme c'est intéressant, a-t-elle répliqué en se penchant et en baissant la voix. Cette librairie est unique en son genre. Il y a des choses affreuses ici, mais les responsables sont très gentils.

— Oh, hum, et qu'est-ce qui vous amène ici ?

Mme Petrie s'est déplacée vers le mur des épices et des herbes.

— Tu sais, je suis célèbre pour mon jardin d'herbes, m'a-t-elle confié fièrement. Je fais partie de leurs fournisseurs. Je fais également pousser des herbes pour quelques restaurants et pour le magasin de produits naturels de la rue Principale.

— Oh, vraiment ? Je l'ignorais, ai-je dit d'un air absent.

— Oui. J'étais venue livrer du thym séché et quelques graines de carvi. Il faut que je me sauve maintenant. Au plaisir. Dis bonjour à tes parents pour moi.

— Promis. On se revoit dimanche, ai-je ajouté, soulagée de la voir sortir de la boutique.

J'étais si préoccupée par ces rencontres inattendues, que j'en avais oublié le commis, qui s'était comporté très bizarrement la première fois. Pourtant, en déposant mes livres sur le comptoir, j'ai senti son regard peser sur moi. Sans dire un mot, j'ai ouvert mon portefeuille et compté mon argent.

— Je savais que tu reviendrais, a-t-il murmuré, en faisant le compte des livres que j'achetais.

Je suis restée de glace ; je n'ai même pas levé les yeux.

— Tu portes la marque de la Déesse, a-t-il déclaré. Sais-tu à quel clan tu appartiens ?

Interloquée, je l'ai regardé droit dans les yeux.

— Je n'appartiens à aucun clan.

Il a penché la tête, l'air inquisiteur.

— En es-tu bien certaine ?

Il m'a remis ma monnaie, j'ai ramassé mes livres et suis sortie. Au moment de démarrer, je songeais aux Sept grands clans. Ils avaient été démantelés au cours du dernier siècle et n'existaient pour ainsi dire plus. J'ai secoué la tête. Quoi qu'en pense le commis, le seul clan dont je faisais partie était le clan Rowlands.

J'ai emprunté les petits chemins de terre et me suis abandonnée au rêve éveillé auquel je cédais de plus en plus souvent : le moment de grâce, sous la lune, où Cal m'avait soulevée pour m'immerger dans l'eau de la piscine. Souvenirs et fantasmes s'entremêlaient ; je n'étais même plus certaine que cela avait vraiment eu lieu.

Ce soir-là, Mary K. avait préparé le souper et c'était mon tour de tout ramasser. J'étais devant l'évier, en train de rincer les assiettes, et je rêvais de Cal, me demandant si Bree et lui s'étaient vus aujourd'hui, après les cours. S'étaient-ils embrassés ? Mon cœur se serrait rien que d'y penser, et j'ai ordonné à mon esprit de ne plus me torturer de la sorte.

Pourquoi Cal était-il entré dans ma vie ? Cette question me hantait. Je sentais qu'il était là pour une raison précise, et j'espérais de tout cœur que ce ne soit pas pour me faire payer pour quelque cruelle dette karmique.

J'ai secoué la tête pour chasser ces pensées. Reprends-toi, ai-je pensé, et j'ai entrepris de disposer les assiettes dans le lave-vaisselle.

À quel clan appartiens-tu ? m'avait demandé le commis. Il aurait pu tout aussi bien me demander de quelle planète je venais ? À l'évidence, je n'appartenais à aucun des Sept clans, bien que l'idée soit séduisante. Ce serait un peu comme de découvrir que ton vrai père était une célébrité et qu'il cherchait à te rencontrer. Les Sept grands clans étaient les célébrités de la Wicca ; on leur octroyait des pouvoirs surnaturels et des milliers d'années d'histoire.

J'ai mis les verres dans le lave-vaisselle. Mon livre racontait que les Sept clans s'étaient tenus à l'écart du reste de l'humanité pendant si longtemps que leur code génétique était séparé et distinct. Mes parents... ma famille. Nous étions aussi normaux qu'eux. Le commis se foutait de ma gueule.

Soudain, j'ai laissé tomber l'éponge que j'avais dans la main et j'ai levé la tête pour regarder par la fenêtre en fronçant les sourcils. Il faisait noir. J'ai jeté un coup dans la pièce. J'avais comme un pressentiment très vif que... je ne savais trop quoi. Qu'une tempête approchait? J'avais un vague sentiment de danger imminent.

Je venais juste de refermer le lave-vaisselle quand la porte de la cuisine s'est ouverte toute grande. Mes parents étaient devant moi; mon père semblait très agité, et ma mère avait les lèvres serrées, l'air contrarié.

— Qu'est-ce qui ne va pas? ai-je demandé en tournant le robinet; mon cœur battait la chamade.

Ma mère a passé sa main dans ses cheveux droits et roux, comme ceux de Mary K.

— Est-ce à toi ces livres sur les sorcières? Elle brandissait les livres que j'avais achetés chez Magye pratique.

— Euh, oui, et alors?

— Pourquoi as-tu acheté ça? a-t-elle demandé en levant la voix. Elle portait toujours ses vêtements de travail et je lui ai trouvé l'air fatigué.

— C'est intéressant, ai-je dit, sidérée par le ton de sa voix.

Mes parents se sont regardés, interloqués.

La lumière au plafond faisait briller le petit rond chauve sur le crane de mon père. Ma mère a repris :

— Est-ce que tous les jeunes de ton collège s'intéressent à la sorcellerie, ou est-ce seulement toi ?

— Mary Grace... a commencé papa, mais maman a fait la sourde oreille.

— Qu'est-ce que tu veux dire ? Ce n'est pas un péché à ce que je sache ? ai-je répliqué en secouant la tête. C'est seulement... intéressant. Je voulais creuser un peu le sujet.

— Morgan, a commencé ma mère, et je ne comprenais pas pourquoi elle était dans tous ses états.

Elle avait plutôt l'habitude de garder son calme avec moi et Mary K.

— Ce que ta mère essaie de te dire, a repris mon père, c'est que ces livres sur la sorcellerie ne sont pas le genre de choses que nous voulons te voir lire.

Il s'est raclé la gorge et a tiré sur le col de sa chemise, l'air terriblement mal à l'aise. Je n'y comprenais rien.

— Comment ça ?

— Comment ça ? a lancé ma mère, et le son de sa voix m'a fait sursauter. Parce que c'est de la sorcellerie !

— Mais ce n'est pas de la magie noire ni rien de tel, ai-je tenté de lui expliquer. Il n'y a rien d'effrayant ou de dangereux là-dedans. Il s'agit seulement de reprendre contact avec la nature. Alors, quel mal y a-t-il à célébrer la pleine lune ?

Évidemment, je n'ai pas parlé des chandelles de formes phalliques, des éclairs d'énergie et des baignades à poil.

— C'est bien plus que cela, a insisté maman, les yeux écarquillés.

Elle était aussi tendue qu'une corde de piano. Puis, se tournant vers mon père, elle s'est écriée :

— Sean, aide-moi !

— Écoute, Morgan, a dit papa plus calmement. Cela nous inquiète. Nous sommes très ouverts d'esprit, mais nous sommes catholiques. C'est notre religion. L'Église n'admet pas la sorcellerie ou les gens qui étudient la sorcellerie.

— Je ne peux le croire. Vous réagissez comme si c'était une menace énorme, ai-je objecté en commençant à m'impatienter.

Je me rappelais la nausée que j'avais eue après les deux cercles.

— C'est la Wicca. C'est un peu comme les activistes qui s'insurgent contre les tests faits sur les animaux.

Certains faits que j'avais lus sur la wicca me revenaient à l'esprit.

— Vous savez, l'Église catholique a adopté de nombreuses traditions issues de la Wicca, comme le gui à Noël et les œufs de Pâques. Ce sont des symboles très anciens d'une religion qui a commencé bien avant le christianisme ou le judaïsme.

— Écoute-moi bien, ma fille, a rugi ma mère, les yeux rivés sur moi.

Je voyais bien qu'elle fulminait.

— Je te dis qu'il n'est pas question que la sorcellerie entre dans cette maison. Je te dis que l'Église condamne ces pratiques. Je te dis que nous croyons en un seul Dieu. J'exige que ces livres sortent d'ici, tout de suite !

On aurait dit un double extraterrestre de maman. Ce n'était tellement pas son genre : j'en avais le souffle coupé. Mon père avait posé la main sur son épaule pour tenter de la calmer, mais elle me regardait d'un air furieux, glacial et… inquiète ?

Je ne savais plus quoi dire. En temps normal, ma mère était une femme extraordinairement raisonnable.

— Je pensais que nous croyions dans le Père, le Fils et le Saint Esprit, ai-je dit. Ça fait trois.

J'ai bien cru qu'elle serait emportée par une attaque d'apoplexie. Les veines de son cou étaient rouges et gonflées. J'ai soudain réalisé que j'étais devenue plus grande qu'elle.

— Va dans ta chambre ! a-t-elle hurlé. De nouveau, j'ai sursauté, car nous ne sommes pas le genre de famille où l'on crie sans arrêt.

— Mary Grace, a murmuré mon père.

— Allez ! a crié ma mère, m'indiquant la porte de la cuisine. J'avais l'impression qu'elle était sur le point de me frapper, et j'étais sous le choc.

Encore une fois papa lui a touché l'épaule pour tenter de la calmer, mais c'était peine perdue. Il avait le regard soucieux derrière ses lunettes à monture métallique.

— J'y vais, ai-je grommelé, avant de grimper les marches deux à deux et de claquer la porte derrière moi. J'ai même poussé le verrou, ce que je ne suis pas censée faire. Effrayée, je me suis assise sur le bord du lit en essayant de ne pas pleurer.

La même question revenait sans cesse me hanter : de quoi ma mère pouvait-elle avoir peur à ce point ?

14

Plus
profondément

«Pendant des années, le roi et la reine ont
désiré un enfant. Ils ont fini par adopter une
fille. Par malheur, celle-ci était destinée à
devenir énorme et à les dévorer avec ses dents
d'acier.»

— Tiré d'un conte russe

— Alors, comment se fait-il que tu ne
sois pas en «hauteur» de sainteté? a
demandé Mary K., le lendemain matin.

J'ai reculé Das Boot hors de l'entrée de
garage en tenant deux *pop-tarts* entre mes
dents.

Un jour, quand Mary K. était petite, elle avait fait une chose répréhensible. Ma mère l'avait grondée et lui avait dit qu'elle n'était pas en odeur de sainteté. Elle avait entendu « hauteur » de sainteté. Évidemment, cela ne voulait rien dire pour elle, mais l'expression est restée dans la famille.

— Je lisais des trucs qu'ils voulaient m'interdire de lire, ai-je marmonné avec désinvolture tout en essayant de ne pas craché de miettes partout sur mon tableau de bord.

Mary K. a ouvert grands les yeux.

— Comme de la porno ? a-t-elle insisté, tout excitée. Où est-ce que t'as pris ça ?

— Pas de la pornographie, ai-je répondu, exaspérée. Ce n'était rien de dramatique. Je ne comprends pas pourquoi ils se sont mis dans cet état.

— C'était quoi alors ? a-t-elle insisté.

J'ai levé les yeux au ciel et j'ai changé de vitesse.

— Des livres sur la Wicca. C'est une ancienne religion matriarcale qui existait bien avant le judaïsme et le christianisme.

Je parlais comme un manuel scolaire.

Mary K. a réfléchi un moment.

— Quel ennui... Tu ne pourrais pas lire de la porno ou quelque chose d'amusant que je pourrais t'emprunter ?

— Peut-être plus tard, ai-je répondu en riant.

— Tu blagues, a dit Bree, écarquillant les yeux. Je ne peux le croire. C'est affreux.

— C'est tellement stupide. Ils ne veulent plus voir ces livres dans la maison.

Le banc sur lequel nous étions assises devant l'école était glacial, et le soleil d'octobre perdait de sa force à mesure que la journée avançait.

Robbie a hoché la tête en signe de solidarité. Ses parents étaient des catholiques beaucoup plus stricts que les miens. Je doutais fort qu'il leur ait parlé de son intérêt pour la Wicca.

— Tu peux les laisser chez moi, a repris Bree. Mon père s'en fout royalement.

J'ai remonté la fermeture éclair de mon anorak jusqu'au cou et enfoui mon visage dans mon col. Il restait quelques minutes avant le début des cours, et notre nouvelle clique hybride s'était rassemblée du côté est du collège. Tamara et Janice arrivaient ensemble, tête baissée pour combattre le froid. Elles me manquaient : je ne les avais pas beaucoup côtoyées ces derniers temps.

Cal était perché sur un banc en face du nôtre, à côté de Beth. Il portait de vieilles bottes de cow-boy aux talons usés. Il était calme et ne regardait pas dans notre direction, mais j'étais certaine qu'il n'avait pas perdu un mot de notre conversation.

— Qu'ils aillent au diable, a lancé Raven. Ils n'ont pas le droit de te dire quoi lire. On ne vit pas dans un état policier.

— Ouais ! je veux être là quand tu diras à Sean et à Mary Grace d'aller au diable, a grogné Bree.

J'ai souri malgré moi.

— Ce sont tes parents, a dit Cal, en rompant soudain son silence. C'est normal que tu les aimes et que tu veuilles respecter leurs opinions. À ta place, je serais très malheureux moi aussi.

À ce moment-là, j'ai senti que je tombais plus profondément en amour avec Cal. Je me serais plutôt attendue à ce qu'il dénigre mes parents en les traitant d'hystériques et de stupides, comme les autres l'avaient fait. En sa qualité de plus ardent disciple de la Wicca, je m'attendais à ce que la réaction de mes parents le déçoive personnellement.

Bree m'a regardée, et j'ai prié pour que mes sentiments ne se lisent pas sur mon visage. Dans les contes de fées, il y a toujours un être destiné à un autre. Ils se rencontrent et vivent heureux jusqu'à la fin de leurs jours. Cal m'était destiné. Je ne pouvais imaginer quelqu'un qui me convienne mieux que lui. Mais mon conte de fées serait débile et ridicule si Cal me convenait parfaitement sans que la réciproque soit vraie?

— C'est une décision difficile à prendre, a dit Cal.

Le groupe était tout ouïe, comme si Cal était un apôtre en train de livrer ses enseignements.

— J'ai de la chance, a-t-il poursuivi, car la Wicca est la religion de ma famille.

Il a réfléchi un moment à la question, la main posée sur sa joue.

— Si je disais à ma mère que je veux me convertir au catholicisme, elle grimperait dans les rideaux. Je ne sais pas si je pourrais le faire, a-t-il conclu, m'adressant un sourire.

Robbie et Beth ont éclaté de rire.

— De toute façon, a-t-il repris l'air sérieux, chacun doit choisir son chemin. Il faut que tu décides ce que tu veux faire. J'espère que tu souhaites toujours explorer la Wicca, Morgan. Je crois que tu as un don. Mais je comprendrai si tu préfères arrêter.

La porte du collège s'est ouverte dans un fracas, et Chris Holly en est sorti, suivi de Trey Heywood.

— Oh, pardon, a fait Chris en criant presque. Je ne voulais pas interrompre votre réunion de sorcières.

— Dégage, a lancé Raven sur un ton ennuyé.

Chris l'a ignorée.

— Êtes-vous en train de jeter des sorts ici même ? Est-ce permis dans les limites du collège ?

— Chris, s'il te plaît, a imploré Bree en se massant les tempes. Arrête.

— Tu ne me dis pas quoi faire ; tu n'es pas ma copine, pas vrai ? a-t-il répliqué en lui tournant le dos.

— Vrai, a admis Bree, verte de colère. Et ne te demande pas pourquoi.

— Ouais, bien… a commencé Chris, mais il a été interrompu par la cloche et l'apparition du prof d'éducation physique.

— Allez, on rentre, les jeunes, a-t-il lancé à la ronde en ouvrant les portes.

Chris a jeté à Bree un regard rempli de hargne, avant d'emboîter le pas au professeur.

J'ai attrapé mon sac à dos et je me suis dirigée vers la porte, Robbie sur mes talons. Bree traînait derrière, et j'ai vu qu'elle s'était approchée de Cal. Elle avait posé sa main sur son bras. Raven les observait du coin de l'œil.

Confuse, je me suis dirigée vers ma salle de classe comme une vache retourne à l'étable. Ma vie se compliquait.

Cet après-midi-là, j'ai mis mes livres sur la Wicca dans un sac et je les ai apportés chez Bree. Mon amie m'avait promis que je pourrais venir les lire chaque fois que j'en aurais envie.

— Je les garderai en sécurité pour toi.

— Merci. Je viendrai peut-être ce soir, après le souper. J'ai lu la moitié de l'histoire de la sorcellerie, et je trouve cela fascinant.

— Bien sûr, a-t-elle répondu gentiment. Pauvre bébé, a-t-elle ajouté en me tapotant l'épaule. Écoute, fais-toi toute petite pendant un moment, laisse la poussière retomber d'elle-même. Et puis, tu sais que tu es la bienvenue chez moi en tout temps, pour lire ou bavarder. D'ac ?

— D'ac, ai-je répondu en la serrant contre moi. Comment ça se passe avec Cal ?

Cela me faisait mal de poser la question, mais je savais qu'elle avait envie d'en parler. Elle a fait la grimace.

— Il y a deux jours, il avait l'air content, on a parlé une heure au téléphone, mais hier, je lui ai demandé de m'accompagner à Wingott's Farm et il a refusé. Il va falloir que je lui coure après s'il ne capitule pas bientôt.

— Il va capituler, ai-je prédit. Avec toi, les gars capitulent toujours.

— Vrai, a dit Bree, le regard mélancolique.

— Bon, je t'appelle plus tard, ai-je dit, soudain pressée de mettre fin à cette conversation.

— Tiens bon, d'accord ? a-t-elle lancé tandis que je me sauvais.

La semaine suivante, je me suis rapprochée de Tamara, Janice et Ben. Je suis allée au club de maths et j'ai essayé très fort de m'intéresser aux fonctions, mais la Wicca et plus particulièrement l'envie de voir Cal continuaient d'occuper mes pensées.

Lorsque j'ai dit à maman que je m'étais débarrassée des livres, elle a paru soulagée, mais tout de même un peu embarrassée. Je me suis d'abord sentie coupable de lui cacher que je les avais laissés chez Bree et que je continuais à les lire chaque soir, mais je me suis vite réconciliée avec ce mensonge. Je respectais mes parents, mais je ne les approuvais pas.

— Merci, a-t-elle dit calmement.

J'ai cru qu'elle allait ajouter quelque chose, mais elle s'est tue. À quelques reprises durant la semaine, je l'ai surprise en train de m'observer et le plus bizarre, c'est que son regard me rappelait celui de l'étrange commis de Magye pratique. Elle me fixait comme si elle s'attendait à une soudaine métamorphose. Qu'est-ce qu'elle s'imaginait ? Qu'il allait me pousser des cornes, ou quoi ?

L'automne avançait lentement. Les jours raccourcissaient, le vent était plus froid. Il y avait une certaine anticipation autour de moi, dans les feuilles, dans le vent, dans les rayons du soleil. J'avais l'impression que quelque chose de gros se préparait, mais j'ignorais quoi.

Samedi après-midi, le téléphone a sonné pendant que je faisais mes devoirs. *C'est Cal*, ai-je pensé avant de décrocher le combiné du deuxième étage.

— Allô, a-t-il dit.

Le son de sa voix m'a légèrement coupé le souffle.

— Allô, ai-je répondu.

— Viens-tu au cercle ce soir ? a-t-il demandé sans préambule. Ça se passe chez Matt.

Cela faisait des jours que je me posais cette question. D'accord, je désobéissais à mes parents en lisant des livres sur la Wicca, mais participer à un autre cercle me semblait une bien plus grosse décision à prendre. C'était une chose d'étudier la Wicca, la pratiquer en était une autre.

— Je ne peux pas, ai-je fini par dire, en retenant mes larmes.

Pendant une minute, Cal s'est tu.

— Je te promets que personne ne va se déshabiller.

Il avait dit cela avec une pointe d'humour dans la voix et ça m'a fait sourire.

— Je te promets de ne pas te plonger dans l'eau, a-t-il ajouté si doucement que je n'étais pas certaine d'avoir bien entendu.

Je ne savais plus quoi répondre. Le sang me battait les tempes.

— À moins que tu ne m'en fasses la demande, a-t-il ajouté, toujours aussi doucement.

Dans l'espoir de briser le charme, je me répétais : ta meilleure amie est amoureuse de lui. Elle a une chance. Tu n'en as aucune.

— C'est que… je ne p… peux pas, me suis-je entendue bafouiller faiblement.

En entendant ma mère marcher au rez-de-chaussée, je suis entrée dans ma chambre et j'ai refermé la porte derrière moi.

— OK, a-t-il fait simplement, avant de laisser le silence — un silence intime — s'installer entre nous.

Je me suis étendue sur mon lit et j'ai regardé par la fenêtre. J'aurais renoncé au reste de ma vie pour que Cal soit étendu là, à mes côtés. J'ai fermé les yeux et les larmes ont commencé à couler sur mes joues.

— Peut-être une autre fois, a-t-il suggéré, plus doucement encore.

— Peut-être, ai-je ajouté, sur un ton qui se voulait ferme.

Peut-être pas, cependant, ai-je pensé, soudain prise d'angoisse.

— Morgan.

— Oui?

Silence.

— Rien. On se revoit lundi au collège. Tu vas nous manquer ce soir.

— *Nous* manquer. Et non pas *me* manquer.

— Merci, ai-je répondu, avant de raccrocher.

Puis, j'ai enfoui mon visage dans mon oreiller et j'ai pleuré.

15

L'abbaye de Killburn

« Les plantes et les animaux de la Terre, toutes les choses vivantes, recèlent une puissance. Le temps qu'il fait, le temps qui passe, le mouvement, tout cela recèle une puissance. Celui qui est en accord avec l'Univers peut capter cette force. »

— Être une sorcière,
Sarah Morningstar, 1982

Le jour de Samhain approche. Hier soir, le cercle était médiocre et pâle, sans elle. J'ai besoin d'elle. Je crois que c'est elle.

— Tu sais, il y a des filles qui tombent enceinte à 16 ans, ai-je expliqué à Mary K. dimanche après-midi.

J'avais du mal à croire ce qui m'arrivait : j'étais assise dans un autobus scolaire rempli de catholiques qui se rendaient à l'abbaye de Killburn.

— Les jeunes ont des problèmes de drogue ; ils font des fugues avec la voiture de leurs parents ; ils abandonnent l'école. J'ai seulement apporté quelques livres à la maison, ai-je plaidé en soupirant.

La tête appuyée contre la vitre, je me demandais ce qui avait pu se passer avec notre cercle, la veille au soir.

Si vous n'avez jamais passé une heure dans un autobus scolaire avec une bande d'adultes de votre église, vous n'imaginez pas le supplice. Mes parents étaient assis à quelques bancs devant moi. Ils conversaient, riaient avec leurs amis et avaient l'air heureux comme des poissons dans l'eau. Melinda Johnson, cinq ans, avait le mal des transports, et le bus devait s'arrêter à tout bout de champ pour lui permettre de prendre l'air.

— Nous y sommes ! a fini par s'exclamer Mlle Hotchkiss, debout à l'avant du bus qui venait de s'arrêter devant une bâtisse semblable à une prison. Mlle Hotchkiss est la sœur du père Hotchkiss. Elle tient maison pour lui.

Mary K. a jeté un œil suspicieux par la vitre.

— Est-ce une prison ? a-t-elle demandé tout bas. Ils nous ont traînées jusqu'ici pour nous faire peur, ou quoi ?

J'ai suivi en grognant le groupe qui descendait du bus. Dehors, l'air était froid et humide ; d'épais nuages gris traversaient le ciel. Il y avait apparence de pluie et je n'entendais aucun chant d'oiseau.

Devant nous s'élevaient de hauts murs de ciment qui devaient bien mesurer trois mètres de haut. Des années d'intempéries et de crasse avaient noirci le ciment, et les murs étaient tapissés de vigne vierge. L'un d'eux était muni de grosses portes noires, retenues en place par de gros clous en fer forgé et des charnières massives.

— Bonjour à tous, a crié le père Hotchkiss, tout joyeux, en s'approchant de

la clôture et en faisant sonner la cloche.
Presque aussitôt, une femme est venue
ouvrir. Elle portait un badge où était inscrit
son nom : Karen Breems.

— Bonjour ! Je devine que vous êtes le
groupe qui vient de St. Michael, a-t-elle
lancé, enthousiaste. Bienvenue à l'abbaye
de Killburn, l'un des plus anciens cloîtres
de l'État de New York. Il n'y a plus aucune
religieuse ici, aujourd'hui ; sœur Clément
est morte en 1987. Le cloître a été trans-
formé en musée et en centre de retraite.

Après avoir franchi la clôture, nous
nous sommes retrouvés dans un parterre
nu, couvert de poussière de pierre qui cris-
sait sous nos pas. Je regardais autour de
moi en souriant, sans trop savoir pourquoi.
L'abbaye de Killburn était dépourvue de
vie, grise et solitaire. Mais dès que j'y ai mis
le pied, j'ai senti un calme profond m'envahir. Devant ces épais murs de pierre,
cette cour nue et ces fenêtres à barreaux,
toutes mes peurs se sont évanouies.

— On dirait une prison, a répété
Mary K., en plissant le nez. Les pauvres
sœurs.

— Non, pas une prison, ai-je dit en regardant les petites fenêtres qui se découpaient très haut sur le mur. Un sanctuaire.

Nous avons vu une cellule minuscule, toute en pierre, où les religieuses avaient dormi sur des paillasses jetées sur des lits de planches. Il y avait une grande cuisine primitive avec un gros bloc de boucher en chêne et, suspendus çà et là, des casseroles et des chaudrons gigantesques. Je pouvais presque voir une religieuse vêtue de noir, en train de faire bouillir des herbes dans un grand chaudron, afin de concocter des tisanes médicinales pour les sœurs qui étaient souffrantes. Une sorcière, ai-je pensé.

— L'abbaye vivait pour ainsi dire en autarcie, expliquait Mlle Breems, en nous faisant traverser une porte étroite.

Nous nous sommes retrouvés dehors, dans un jardin clos, envahi par les mauvaises herbes, triste et négligé.

— Les sœurs cultivaient leurs légumes et leurs fruits, dont elles faisaient des conserves en vue du dur hiver new-yorkais, poursuivait notre guide. Quand l'abbaye venait d'ouvrir, on élevait même des brebis et des chèvres pour le lait, la viande et la laine. Cette partie était leur potager ; les murs servaient à le protéger des lapins et des cerfs. Comme dans beaucoup d'abbayes d'Europe, le jardin d'herbes aromatiques formait un petit labyrinthe circulaire.

Comme la roue d'une année wiccane, ai-je pensé, en comptant huit grands rayons décrépits, parfois même effacés. Un pour Samhain, un pour Yule, un pour Imbolc, et les autres pour Ostara, Beltane, Litha, Lammas et Mabon.

Bien sûr, j'étais certaine que les religieuses n'avaient jamais eu l'intention de se servir de la roue wiccane en dessinant leur jardin. Cette idée les aurait horrifiées. Mais la Wicca était ainsi : ancienne, intemporelle et imprégnant subrepticement les nombreuses facettes de la vie des gens, sans même qu'ils s'en aperçoivent.

En déambulant dans les sentiers de pierre concassée, polie et lisse en raison de centaines d'années d'usure, Mme Pétrie, l'herboriste, ne cessait de s'extasier. Je la suivais en écoutant attentivement ses commentaires.

— De l'aneth, oui, et regarde-moi cette camomille robuste. Oh! et voici de la tanaisie. Je déteste la tanaisie : elle est envahissante.

En la suivant ainsi, j'avais l'impression qu'une vague de magie me traversait de part en part, élevant mon esprit et projetant sur mon visage un rayon de lumière. Le moindre recoin du jardin était pour moi une révélation.

J'ignorais les noms de la plupart des plantes, mais j'avais l'impression de les connaître. Tandis que je me penchais pour toucher leurs têtes séchées, leurs tiges brisées, leurs feuilles blanchies, des images floues se formaient dans ma tête : rebouteux, grande camomille, euphraise, reine des prés, romarin, et pissenlit, encore et encore.

Ici, devant moi, s'étalaient les restants automnaux de plantes qui servaient à soigner, à faire de la magie, à donner de la saveur aux aliments et à fabriquer de l'encens, des teintures et du savon. Ces nombreuses possibilités me donnaient le vertige.

Je me suis agenouillée et j'ai passé les doigts sur un aloès, très utile pour soigner les brûlures et les coups de soleil. Ma mère s'en sert tout le temps, sans se demander si c'est de la sorcellerie. Puis, j'ai reconnu un laurier dont le tronc s'était tordu au fil des ans. Au toucher, il m'a semblé propre, pur et fort. Il y avait des bosquets de thym, une énorme touffe d'herbe aux chats et des graines de carvi, minuscules et brunes sur leurs tiges frêles. J'explorais un monde nouveau dans lequel je m'évadais. Tendrement, j'ai caressé un plant de menthe poivrée.

— La menthe ne meurt jamais, a dit Mme Pétrie en me voyant. Elle revient toujours. En fait, elle est très envahissante ; chez moi, je la garde dans des pots.

J'ai souri en faisant signe que oui ; je ne sentais plus la fraîcheur de l'air extérieur. J'ai exploré chaque sentier, remarquant des espaces vides où les plantes avaient poussé et où les vieilles tiges attendaient le printemps pour renaître. Je lisais tout ce qui était indiqué sur les petites plaques de métal, chacune portant le nom d'une plante écrit d'une main féminine et sûre.

Maman s'est approchée de moi.

— C'est fascinant… tu ne trouves pas ? J'avais l'impression qu'elle essayait de s'amender.

— C'est extraordinaire, ai-je répondu sincèrement. J'aime toutes ces herbes. Crois-tu que papa me réserverait un petit espace dans le parterre pour faire pousser mes propres herbes ?

Elle m'a regardée droit dans les yeux.

— Ça t'intéresse à ce point ? s'est-elle étonnée, en examinant une touffe de romarin rustique.

— Oui. C'est tellement joli ici. Ce serait génial non, si on pouvait cuisiner avec le persil et le romarin qu'on aurait fait pousser nous-mêmes ?

— Oui, tu as raison. Peut-être le printemps prochain. On en parlera à ton père.

Puis, elle est allée rejoindre Mlle Hotchkiss, qui racontait encore l'histoire de l'abbaye.

Quand est arrivé le moment de remonter dans le bus, il a fallu m'arracher au jardin.

Je voulais rester à l'abbaye, scruter ses murs, humer ses parfums et sentir les feuilles séchées des plantes s'effriter sous mes doigts. Les plantes m'appelaient de toutes leurs forces magiques, délicates mais aiguës et, c'est là, derrière les clôtures de l'abbaye de Killburn, que j'ai compris.

J'ai compris que malgré les objections de mes parents, les livres sur la sorcellerie ne me suffisaient plus. Je serais une sorcière, envers et contre tous.

16

Sorcière de sang

«Tu ne choisis pas d'être ou de ne pas être une sorcière. Tu l'es ou tu ne l'es pas. Tu as cela dans le sang.»

— Tim McClellan,
alias Feargus The bright

La frustration me donne envie de hurler. Elle ne vient pas vers moi, et je sais que je ne peux pas la forcer. Ô Déesse, envoie-moi un signe.

Lundi, après l'école, nous avons séché le club d'échecs, Robbie et moi, pour nous rendre à la boutique Magye pratique.

Décidément, cela devenait une habitude. J'ai acheté un livre sur l'usage des plantes et autres herbes pour faire de la magye, ainsi qu'un bouquin magnifique aux pages toutes blanches avec couverture en imitation de marbre et l'intérieur couleur crème. Ce serait mon Livre des ombres. Je prévoyais y écrire tout ce que la Wicca m'inspirait, des notes sur notre cercle, tout ce qui me passait par la tête.

Robbie s'est payé une chandelle noire en forme de pénis qu'il trouvait hilarante.

— Très amusant, ai-je dit. Avec un truc pareil, les filles vont te courir après.

Robbie se bidonnait.

En sortant de la boutique, nous sommes allés chez Bree. Je me suis allongée sur son lit avec mon livre sur les herbes, tandis que Robbie écoutait de la musique. Assise par terre, Bree mettait du vernis sur ses ongles d'orteils, tout en lisant mon livre sur les Sept grands clans.

— C'est génial, écoutez ça, a-t-elle dit, pendant qu'au rez-de-chaussée, on sonnait à la porte. Quelques secondes plus tard, nous avons entendu les voix de Jenna et de Matt dans l'escalier.

— Salut! a dit Jenna, dont les pâles cheveux blonds se balançaient sur les épaules. Bon sang! on gèle dehors. Où est passé l'été des Indiens?

— On va manquer de place, on devrait peut-être descendre dans le séjour, a suggéré Bree en regardant autour d'elle.

— Je préférerais rester ici, a répondu Robbie.

— Oui, c'est plus privé, ai-je acquiescé, en me redressant.

— Écoutez les amis, a commencé Bree. Je lisais ce livre sur les Sept clans de la Wicca.

— Ooh, a hululé Jenna, en feignant de tressaillir.

— Après des siècles de pratique de la magye, chacun des Sept grands clans s'est concentré sur un domaine particulier de cet art. À une extrémité du spectre, on trouve le clan des Woodbane, connus pour leur magie noire et leur capacité à faire le mal.

Un frisson a parcouru ma colonne vertébrale, mais Matt a froncé les sourcils et Robbie est parti d'un grand rire diabolique.

— Cela n'a rien à voir avec la Wicca, a dit Jenna en enlevant sa veste. Vous vous rappelez? Tout ce que vous faites vous sera triplement rendu. Cal nous en a fait la lecture la semaine dernière. Brée, cette couleur est fantastique. Qu'est-ce que c'est?

— Bleu céleste, a répondu Bree après avoir bien regardé la bouteille de poli à ongles.

— Supergénial! s'est exclamée Jenna.

— Merci a dit Bree. Écoutez… c'est très intéressant. À l'autre extrémité du spectre se trouve le clan des Rowanwand. Bons, pacifiques, les Rowanwand se sont fait connaître en tant que dépositaires du savoir magyque. Ce sont eux qui ont écrit le premier Livre des ombres. Ils ont recueilli les envoûtements. Ils ont exploré les propriétés magyques du monde autour d'eux.

— Super, a dit Robbie. Que sont-ils devenus? Bree a lu la page en diagonale. Hum, attends…

— Ils sont morts, a poursuivi la voix riche de Cal, qui venait d'entrer dans la chambre.

Nous avons tous sursauté. Personne n'avait entendu la sonnette d'entrée, pas plus que ses pas dans l'escalier.

La surprise passée, Bree lui a fait son plus beau sourire.

— Entre, a-t-elle dit, repoussant son attirail de poli à ongles.

— Salut Cal, a dit Jenna en souriant.

— Salut, a-t-il répondu, suspendant sa veste au bouton de la porte.

— Qu'est-ce que tu veux dire par : ils sont morts ? s'est enquis Robbie.

Lorsque Cal est venu s'asseoir à côté de moi sur le lit, le regard de Bree s'est assombri.

— Eh bien, il y avait Sept grands clans, a repris Cal. Les Woodbane, qui personnifiaient le mal, les Rowanwand, qui personnifiaient le bien, et cinq autres clans qui se situaient entre les deux.

— Est-ce une histoire vraie ? a demandé Jenna, jetant sa gomme à mâcher dans la poubelle.

Cal a fait signe que oui.

— D'aussi longtemps qu'on s'en souvienne. De toute façon, les Woodbane et les Rowanwand se sont fait la guerre pendant des millénaires, et pendant tout ce temps les cinq autres clans étaient parfois alliés aux uns, parfois alliés aux autres.

— Quels étaient les cinq autres clans ? a demandé Robbie.

— Attends un peu ; je viens juste de le lire, a dit Bree, faisant glisser ses doigts sur la page.

— Les Woodbane, les Rowanwand, les Vikroth, les Brightendale, les Burnhide, les Windenkell et les Leapvaughn, ai-je récité par cœur. Ils m'ont tous regardée, interloqués, sauf Cal, qui souriait discrètement.

— Je viens juste de lire ce livre, ai-je avoué.

Bree a hoché la tête lentement.

— Oui, Morgan a raison. Il est écrit que les Vikroth étaient des guerriers. Les Brightendale étaient des genres de médecins ; ils travaillaient surtout avec des plantes. Les Burnhide se spécialisaient dans les pierres précieuses, les cristaux et la magye du métal, alors que les Wyndenkell étaient des experts dans l'écriture des sortilèges. Les Leapvaughn étaient malicieux, parfois assez terribles, et ils avaient un certain sens de l'humour.

— Les Vikroth étaient parents avec les Vikings, a ajouté Cal. Le mot *leprechaun*[*] est relié au Lepvaughn.

— Génial, s'est écrié Matt. Lorsque Jenna s'est assise par terre devant lui, afin de pouvoir s'appuyer le dos contre ses jambes, il s'est mis à lui jouer dans les cheveux, l'air absent.

— Alors, comment sont-ils morts ? a redemandé Robbie.

— Pendant des millénaires, ils se sont affrontés, a répété Cal. Peu à peu, leur nombre a diminué. Les Woodbane et leurs alliés tuaient leurs ennemis, soit à la guerre, soit en utilisant la magie noire. Les Rowanwand en faisaient autant, mais sans recourir à la magie noire. Ils accumulaient les connaissances, faisaient fi du savoir des autres clans et refusaient de partager leurs richesses. Par exemple, lorsque des Vikroth

_____

[*] N.d.T. : Le leprechaun est appelé farfadet, au Canada. Il s'agit d'une petite créature féérique mâle issue du folklore irlandais.

tombaient malades, les Rowanwand auraient pu les guérir avec une potion, mais ils ne l'ont pas fait. C'est ainsi qu'ils ont contribué à l'extinction de leurs ennemis.

— Les salauds, s'est exclamé Robbie, ce qui a fait pouffer de rire Bree et m'a fait froncé les sourcils d'irritation.

Cal a regardé Robbie d'un air désapprobateur.

— Continue, a dit Bree. Ne t'occupe pas de lui.

Dehors, il faisait noir depuis un moment, et une pluie incessante frappait contre la fenêtre. Je n'avais aucune envie de retourner chez moi pour manger les hamburgers et les frites de Mary K..

— Il y a environ 300 ans, a poursuivi Cal, à l'époque des procès de Salem, un énorme cataclysme a frappé les tribus. Personne ne sait exactement pour quelle raison c'est arrivé à cette époque, mais partout dans le monde où les clans s'étaient répandus, les sorcières ont été décimées. Les historiens estiment qu'en l'espace d'un siècle, entre 90 et 95 pour cent des sorciers ont disparu ; soit ils se sont entretués, soit ils ont été tués par les autorités humaines qui avaient pris part au conflit.

— Prétends-tu que les procès des sorcières de Salem ont été organisés par d'autres sorciers dans le but de détruire leurs rivaux ? a demandé Bree, incrédule.

— Je dis que tout cela n'est pas très clair, a précisé Cal. C'est possible.

Ma peau était chaude et mes sens apaisés par la présence et la voix de Cal. Pourtant, j'étais gelée jusqu'aux os. Ces histoires de sorcières persécutées et mises à mort me faisaient horreur.

— Après cela, a poursuivi Cal, pendant plus de 200 ans, aux quatre coins du monde, les sorcières ont connu leur âge des ténèbres. Les clans sont devenus moins monolithiques. Il y a eu des mariages entre sorcières et sorciers de clans opposés. Ils ont eu des enfants qui n'avaient plus d'appartenance propre. Il y en a même qui ont marié de simples mortels et n'ont pas pu avoir d'enfants.

Je me rappelais avoir lu que les gens pensaient que les Sept clans avaient vécu en autarcie tellement longtemps qu'ils étaient différents des autres humains et ne pouvaient se reproduire avec les gens ordinaires.

— Tu sais tellement de choses sur les sorciers, s'est exclamée Jenna, admirative.

— Normal, j'ai grandi là-dedans, a expliqué Cal.

— Je n'ai pas terminé ma lecture. Raconte-nous ce qui est arrivé ensuite, a demandé Bree en touchant le genou de Cal pour attirer son attention.

— Ceux qui ont survécu ont oublié les vieilles coutumes et les disputes passées. Et les connaissances que les humains avaient acquises en matière de magye se sont perdues à tout jamais. Enfin... presque. Puis, il y a environ 100 ans, un petit groupe de sorciers provenant des Sept clans a réussi à renaître de ses cendres, à sortir de l'âge des ténèbres, et on a assisté à la renaissance de la culture wiccane.

Cal a changé de position et la main de Bree est retombée. Matt jouait toujours dans les cheveux de Jenna, et Robbie était allongé sur le tapis, une main sous la nuque.

— D'après ce que j'ai lu, ai-je ajouté, ils auraient compris que les rivalités entre clans avaient contribué à leur quasi-disparition. Ils ont donc décidé de former un seul grand clan et de renoncer à leurs traits distinctifs.

— C'est exact : l'unité dans la diversité, a confirmé Cal. À partir de ce moment-là, ils ont encouragé les unions entre clans et de meilleures relations avec les humains. Ce petit groupe de sorcières éclairées a pris le nom de Conseil supérieur, et il existe encore aujourd'hui. La plupart des cercles de sorcières actifs de nos jours doivent leur existence au Conseil supérieur et à ses enseignements. À l'heure actuelle, la Wicca s'étend rapidement et les vieilles rivalités ne sont plus que mauvais souvenirs. On ne les prend plus au sérieux.

Je me suis rappelé le commis de Magye pratique, lorsqu'il m'avait demandé de quel clan je faisais partie, et cela m'a fait penser à un autre détail qui m'avait frappée.

— C'est quoi une sorcière de sang, en opposition à une simple sorcière ? ai-je demandé.

J'ai senti une vague de chaleur m'inonder lorsque Cal a plongé son regard dans le mien avant de répondre.

— On parle de sorcière de sang lorsque l'on peut remonter avec certitude la généalogie de quelqu'un jusqu'à l'un des Sept clans. Une simple sorcière est quelqu'un qui pratique la Wicca et vit selon ses principes. Elle tire son énergie magyque des forces de vie que l'on trouve partout. Une sorcière de sang canalise beaucoup mieux cette énergie, et ses pouvoirs sont plus importants.

— Je suppose qu'on va tous devenir de simples sorciers, a dit Jenna en souriant.

Elle a ramené ses genoux sur sa poitrine et a croisé les bras par-dessus, ce qui lui donnait un air félin et très féminin.

— Et on a une année pour y arriver, a dit Robbie en acquiesçant d'un signe de tête et en repoussant ses lunettes sur son nez.

Il avait le visage en feu.

— Sauf moi, a dit Cal. Je suis une sorcière de sang.

— Toi, une sorcière de sang? a demandé Bree, écarquillant les yeux.

— Absolument, a repris Cal avec un haussement d'épaules. Ma mère en est une; mon père l'était; et je le suis aussi. Il y en a beaucoup plus que vous ne l'imaginez autour de vous. Ma mère en connaît plusieurs.

— Ouah! a fait Matt, en fixant Cal. Et à quel clan appartiens-tu?

— J'sais pas, a avoué Cal, un petit sourire en coin. Les archives familiales se sont perdues lorsque ma famille a émigré aux États-Unis. La famille de ma mère venait d'Irlande, celle de mon père était écossaise, alors ils pourraient bien descendre de différents clans. Je suis peut-être un Woodbane, a-t-il ajouté en riant.

— C'est extraordinaire, a murmuré Jenna. Tout cela m'apparaît tellement plus réel.

— Pour tout dire, je ne suis pas aussi puissant que des sorcières plus expérimentées, a ajouté Cal d'un ton neutre.

J'admirais son profil, que j'essayais de mémoriser pour ne plus l'oublier : sourcils bien dessinés, nez droit, lèvres pleines. Le reste n'existait plus pour moi dans cette chambre. Puis, sans même y réfléchir, j'ai pensé : il est six heures, et j'ai entendu sonner l'horloge du rez-de-chaussée.

— Il faut que je rentre, me suis-je entendue dire, comme à distance. J'ai repris mon herbier, me suis arrachée au regard de Cal, et suis sortie de la chambre. À chaque pas, j'avais l'impression de m'enfoncer jusqu'aux genoux dans une éponge.

En descendant, j'ai agrippé la rampe fermement. Dehors, la pluie m'a fouetté le visage et j'ai couru jusqu'à Das Boot. Le siège de vinyle et le volant étaient gelés. Ma main froide et mouillée a tourné la clé dans le démarreur. : Les mots pulsaient dans ma tête : sorcière de sang, sorcière de sang, sorcière de sang.

17

Prise au piège

« En l'an 1217, les chasseurs de sorcières emprisonnèrent une sorcière Vikrothe. Au matin, le cachot était vide. D'où le proverbe 'mieux vaut tuer une sorcière trois fois que de l'enfermer une fois', car nul ne peut retenir une sorcière contre son gré. »
— *Sorcières, ensorceleurs et magiciens*
Altus Polydarmus, 1618

Octobre. J'ai mis mon vieux journal de côté. J'amorce aujourd'hui l'écriture de mon « Livre des ombres ». Je ne sais si je m'y prends bien. Je n'ai jamais vu aucun de ces livres. Mais je tenais à documenter ma naissance, cet automne, cette année. Je parle de ma naissance en tant que sorcière ; la chose la plus heureuse et la plus effrayante qui me soit arrivée jusqu'à maintenant.

— C'était extraordinaire! ai-je dit en enlevant le couvercle de mon yogourt. Le jardin était réparti en huit rayons, comme la roue du sabbat. Et ces plantes pour guérir et cuisiner… c'était l'œuvre de religieuses, des religieuses catholiques!

J'ai pris une cuillerée de yogourt et j'ai regardé mes amis assis autour de la table. Nous étions dans la cafétéria du collège, et Robbie avait fait l'erreur de me demander comment s'était passée la visite à l'abbaye dimanche; sa famille fréquente la même église que la mienne. J'étais intarissable…

— Méfie-toi de ces religieuses, a fait Robbie, avant de prendre une gorgée de lait.

— Bordel, a juré Jenna en secouant la tête et en s'essuyant la bouche avec une serviette en papier. Depuis que j'entends parler de la wicca, j'ai l'impression d'en voir des traces partout où je regarde. Hier, par exemple, ma mère voulait aller acheter une citrouille pour l'Halloween, et j'ai compris que cette tradition est un héritage Wiccan.

— Hé, a dit Ethan, avachi sur une chaise à côté de Sharon, encore à moitié endormi et les yeux rougis.

Sharon l'a regardé d'un air dégoûté, en faisant mine de s'éloigner, comme si elle risquait de salir sa jupe immaculée et son chemisier blanc.

— Dis, ça t'arrive de ne pas être *stone*? a-t-elle demandé méchamment.

— Je ne suis pas *stone*, je suis enrhumé.

Je sentais bien qu'il avait le cerveau brouillé et les sinus bouchés.

— Ethan a arrêté de fumer, a annoncé Cal. Pas vrai, Ethan?

L'air agacé, Ethan a ouvert le carton de jus qu'il venait de prendre dans la machine distributrice.

— T'as raison. C'est la vie qui me rend *stone*.

Cal a éclaté de rire.

— Maintenant, si tu me dis que je dois devenir végétarien ou quelque chose du genre, je décroche, a marmonné Ethan.

— N'importe quoi mais pas ça, a renchéri Robbie, plus sarcastique encore.

Le nez pincé, Sharon était allée s'asseoir plus loin, ses bracelets en or cliquetant à son poignet. Elle mangeait du poulet teryaki avec des baguettes.

— Méfie-toi d'elle, a chuchoté Beth à l'oreille d'Ethan.

Beth portait un diamant dans le nez et un autre au milieu du front, ce qui lui donnait un air exotique, ses yeux verts brillant tels ceux d'un félin sur sa peau noire.

Sharon lui a tiré la langue, pendant qu'Ethan éclatait de rire et s'étouffait avec son jus.

Bree m'a regardée, pour aussitôt fixer son regard sur Cal. Résolument, j'ai baissé les yeux en faisant mine de manger mon yogourt. Nous étions tous là, autour de la table, moi et Bree, Raven et Beth, avec leurs *piercings*, leurs cheveux teints et leurs tatous ; Jenna et Matt, le couple parfait ; Ethan et Robbie, débraillés et insouciants ; Sharon, princesse hautaine, et Cal, qui avait su nous rassembler autour d'un intérêt commun. Il nous regardait, apparemment heureux, content d'être parmi nous. Nous étions ses neuf disciples privilégiés et, si nous le souhaitions, son nouveau cercle.

Je le souhaitais.

— Morgan, attends! a crié Jenna, alors que je marchais vers ma voiture.

Nous étions vendredi après-midi. Une autre semaine avait filé. J'ai transféré, mon sac à dos sur mon autre épaule et je l'ai attendue.

— Seras-tu au cercle demain soir? a-t-elle demandé en arrivant près de moi. Ça se passera chez moi, cette fois-ci. On pourrait préparer des sushis.

Je me sentais comme un alcoolique à qui on vient d'offrir un verre de scotch. La seule idée de participer à un autre cercle, de sentir la magye circuler dans mes veines, et de vivre cette intimité magyque avec Cal, me donnait presque envie de pleurer.

— J'aimerais vraiment y aller, ai-je répondu, hésitante.

— Alors, qu'est-ce qui t'en empêche? a-t-elle demandé, déconcertée. Il me semble

que tu t'intéresses beaucoup à la Wicca. Et
Cal dit que tu as un don.

— Mes parents sont totalement contre,
ai-je expliqué en soupirant. Je meurs
d'envie d'y aller, mais j'imagine la scène à
la maison, si ça se sait.

— Dis-leur que je donne une petite fête,
a suggéré Jenna. Ou que tu viens dormir
chez moi. Tu nous as manqué la semaine
dernière. C'est plus amusant quand tu es
là.

— Tu veux dire que personne ne s'est
écroulé en se tenant la poitrine à deux
mains ?

Jenna a ricané.

— Non. D'ailleurs Cal dit que c'est
parce que tu es hypersensible, pas vrai ?

Matt s'est approché et a pris Jenna par
la taille. Je me demandais s'il leur arrivait
de se disputer, s'ils avaient jamais douté de
leur amour l'un pour l'autre.

— L'hypersensible Morgan, ai-je
repris.

— Enfin, viens si tu le peux, a répété
Jenna.

— OK, je vais essayer. Merci.

En montant dans ma voiture, je me disais que Jenna était vraiment une chic fille. Je ne l'avais jamais su, parce que nous n'étions pas dans la même clique.

— On va voir un film... tu viens ? a demandé Mary K. samedi soir. Jaycee a loué un bon gros thriller. On va manger du popcorn et s'amuser ferme.

— C'est tentant, ai-je répondu en souriant. Mais je suis censée aller au cinéma avec Bree. Est-ce que Bakker sera là ?

— Non. Il est allé voir un match des Giants, au New Jersey, avec son père.

— Ça va avec lui ?

— Euh, s'est contentée de murmurer Mary K. en se brossant les cheveux et en les nouant en queue de cheval. Elle était adorable de simplicité, parfaite pour une petite soirée entre copines.

Peu après le départ de Mary K., maman et papa se sont pointés dans le salon, tirés à quatre épingles pour leur soirée au concert.

— C'est où ce concert ?

— À Burdocksville, a-t-elle répondu en attachant son collier de perles. Au centre communautaire. Nous serons de retour vers 23 heures, et nous nous arrêterons chez Jaycee pour y cueillir Mary K. Laisse un mot si tu décides de sortir avec Bree.

— D'accord.

— Allons, Mary Grace, a dit papa, nous allons être en retard.

— Au revoir chérie, a dit maman en refermant la porte.

Et voilà que j'étais seule chez moi. Je me suis précipitée dans ma chambre pour me changer : haut à imprimé indien et pantalon gris. Je me suis brossé les cheveux et j'ai décidé de ne pas les attacher. J'ai même ouvert le tiroir où Mary K. gardait sa collection d'ombres à paupières et de poudres. Je ne connaissais pas grand-chose en maquillage et je n'avais pas le temps d'apprendre ; je me suis donc contentée de mettre du brillant à lèvres et suis redescendue aussi vite.

Jenna vivait à Hudson Estates, un nouveau quartier où poussaient des maisons cossues. J'ai pris mes clés et ma veste, puis j'ai enfilé mes souliers. Je pensais : cercle, cercle, cercle, et mon esprit bouillonnait d'excitation! Au moment où j'allais sortir, le téléphone a sonné.

Répondre ou ne pas répondre ? À la quatrième sonnerie, j'ai pensé que Jenna aurait pu changer ses plans, mais avant même de lever le combiné, je savais que c'était Mme Fiorello, la collègue de ma mère.

— Allô! ai-je répondu, l'air pressé.

— Morgan? C'est Betty Fiorello.

— Bonsoir, ai-je répondu en pensant *je sais, je sais*.

— Écoute, je viens de joindre ta mère sur son portable et elle m'a dit que tu étais à la maison.

— Euh, hum,… mon cœur battait à tout rompre.

Tout ce que je voulais, c'était voir Cal, et sentir une fois de plus la magye circuler dans mon corps.

— Écoute. Il faut que je passe chez vous pour prendre quelques pancartes. Ta mère m'a dit qu'elles sont dans le garage. J'ai deux nouvelles maisons à vendre, et je prépare trois visites libres pour demain. Peux-tu le croire, je suis à court de pancartes!

Mme Fiorello a certainement la voix la plus agaçante au monde. J'avais envie de hurler.

— OK, ai-je répondu poliment.

— Alors, est-ce que je peux passer dans disons 45 minutes?

J'ai regardé l'horloge, désespérée.

— Pourriez-vous venir un peu plus tôt. Je pensais aller au cinéma.

— Oh! je vais essayer. Mais il faut que j'attende que mon mari rentre pour prendre la voiture.

Merde, merde, merde!

— Je peux laisser les pancartes dehors, devant la porte du garage...

— Oh! chère, a poursuivi Mme Fiorello qui se faisait un devoir de ruiner ma vie. J'ai bien peur d'avoir à choisir moi-même laquelle fera l'affaire. Je ne suis pas bien certaine de ce dont j'ai besoin.

Ma mère gardait dans son garage environ 100 pancartes pour la vente de maisons. Je ne pouvais les empiler toutes dehors. J'essayais de réfléchir vite, mais je ne trouvais pas de solution. Merde !

— Bon, je suppose que je peux me passer de cinéma ce soir, ai-je laissé tomber en espérant que le message passerait.

— Je suis désolée ma chérie. Est-ce que c'était un rendez-vous ?

— Non, ai-je dit, amère.

Il fallait que je raccroche avant de me mettre à hurler. On se voit plus tard, ai-je ajouté sur un ton cassant avant de raccrocher. J'avais envie de pleurer. Pendant une minute, je me suis demandé si maman n'avait pas prié Mme Fiorello de me surveiller. Non, cette idée n'avait ni queue ni tête.

En attendant l'arrivée de Mme Fiorello, j'ai nettoyé la cuisine et démarré le lave-vaisselle. Cendrillon arriverait en retard au bal. J'ai mis une brassée dans la machine à laver. Puis j'ai fait jouer de la musique très fort et j'ai chanté jusqu'à m'époumoner. J'ai ensuite transféré mes vêtements mouillés dans la sécheuse et réglé la minuterie à 45 minutes.

Mme Fiorello s'est pointée plus d'une heure plus tard. Je lui ai ouvert le garage et elle a commencé à trier les pancartes. J'ai bien cru qu'elle y passerait la soirée. Je suis restée assise sur les marches, le menton dans les mains. Elle a pris huit pancartes, puis m'a chaudement remerciée.

— Pas de problème, ai-je menti poliment, en la raccompagnant. Au revoir, Madame Fiorello.

— Au revoir, chère.

Il était presque 22 heures. Ça ne valait pas le coup de faire 20 minutes de voiture pour me rendre chez Jenna ; le rituel du cercle serait presque terminé. Je ne pouvais pas les déranger aux trois quarts de la cérémonie.

En m'affalant sur le canapé du séjour, mon désespoir était exacerbé par la peur de tirer de l'arrière par rapport au groupe et de ne pas pouvoir suivre la prochaine fois. Et si Cal se résignait à ne plus compter sur ma présence ? Et si, à l'avenir, les autres refusaient de m'inclure dans leur cercle ?

J'étais désespérée lorsqu'une idée qui m'avait effleuré l'esprit un peu plus tôt m'est revenue. Si je ne pouvais pas faire l'expérience de la Wicca avec le groupe, je pourrais à tout le moins travailler un peu par moi-même. Je prouverais ainsi à Cal et aux autres que j'étais vraiment dévouée à la cause. Il fallait que j'essaie de jeter un sort. J'avais déjà ma petite idée. Je me rendrais à la boutique Magye pratique dès le lendemain, afin de m'y procurer les ingrédients nécessaires.

18

Conséquences

« N'oublie pas que les sorcières sont parmi nous et qu'elles pratiquent leur art en secret, pendant que nous menons des vies d'honnêtes gens, dans la crainte de Dieu. »
— *Sorciers, ensorceleurs et magiciens*
Altus Polydarmus, 1618

Dimanche, toute la famille est allée à la messe, puis au resto pour le brunch. En rentrant, j'ai téléphoné à Jenna. Elle était sortie, alors j'ai laissé un message dans lequel je lui expliquais ce qui m'était arrivé la veille et lui demandais pardon de ne pas avoir assisté au cercle. Puis, j'ai appelé chez

Bree, mais elle n'était pas là non plus. J'ai laissé un message en essayant de ne pas m'imaginer qu'elle était chez Cal, dans la chambre de Cal. Après cela, je suis restée assise à la table de la salle à dîner pendant des heures, à faire mes devoirs et à me perdre dans des équations mathématiques complexes et rationnelles, tellement rassurantes avec leurs solutions claires et nettes, qu'elles m'ont semblé magyques.

Je suis arrivée à la boutique juste avant la fermeture, vers 17 h. J'ai acheté tous les ingrédients dont j'avais besoin, mais j'ai attendu que mes parents et ma sœur soient déjà couchés avant de m'atteler à la tâche.

J'avais laissé la porte de ma chambre entrebâillée, afin d'entendre si maman, papa ou Mary K. se relevaient. J'ai sorti mon livre sur les herbes magiques. Cal avait dit que j'étais hypersensible et que j'avais un don pour la magye. Je voulais en avoir le cœur net.

En ouvrant le manuel intitulé *Rituels pour herboristes débutants*, je l'ai feuilleté jusqu'à la recette d'une potion destinée à « éclaircir le teint ».

J'ai vérifié ma liste. La lune était-elle croissante ? J'avais appris, au fil de mes lectures, que les sortilèges pour les rassemblements, les invocations et la prospérité, etc. devaient se faire alors que la lune était croissante. Quant aux sortilèges de bannissement, de diminution, de limitation, etc., il était préférable de les accomplir au moment de la lune décroissante. En y réfléchissant bien, cela avait du sens.

Le sortilège que j'ai choisi de tenter demandait de l'herbe aux chats pour rehausser la beauté, du concombre et de l'angélique pour aider la cicatrisation, et enfin, de la camomille et du romarin pour la purification.

Le plancher de ma chambre est recouvert de moquette, mais j'ai découvert que je pouvais quand même y tracer un cercle à la craie. Avant de refermer le cercle, j'ai repoussé mes livres, et tout ce dont j'allais avoir besoin, à l'intérieur. Trois chandelles allumées jetaient une lumière suffisante pour me permettre de lire. Ensuite, j'ai saupoudré une ligne de sel autour du cercle en disant :

— Avec ce sel, je purifie mon cercle.

Pour compléter le sortilège, il fallait écraser les ingrédients dans un mortier, verser de l'eau bouillante (provenant d'un thermos) sur les herbes contenues dans une tasse à mesurer, et écrire le nom de la personne à qui était destinée la potion sur un bout de papier, avant de le brûler à la flamme d'une chandelle. À minuit pile, j'ai lu à voix basse les paroles du sortilège :

*Parce que beau au-dedans égale beau
au dehors,
Cette décoction chassera tes
imperfections.
Cette eau régénératrice ton teint
purifiera,
Et beau à jamais tu seras.*

Je lisais vite, car minuit sonnait déjà à l'horloge du rez-de-chaussée. Au dernier coup de minuit, j'ai prononcé le dernier mot. À cette seconde, les poils se sont dressés sur mes bras, les trois chandelles se sont éteintes, et un éclair fabuleux a illuminé ma chambre. L'instant d'après, un énorme coup de tonnerre a retenti, un bruit si assourdissant que j'ai cru que mon cœur allait éclater dans ma poitrine.

J'avais bien failli mouiller ma culotte. Ahurie, j'ai regardé par la fenêtre, pour voir si la maison avait pris feu, puis je me suis relevée et j'ai allumé ma lampe. Il y avait toujours du courant.

Mon cœur me martelait les côtes. D'un côté, la situation semblait si improbable et mélodramatique que c'en était presque drôle. De l'autre, j'avais l'impression que Dieu m'avait vue faire et qu'il avait fait éclater sa colère en guise d'avertissement. Tu sais que c'est complètement fou, me disais-je en respirant profondément dans l'espoir de me calmer.

En moins de deux, j'ai fait disparaître tous les ingrédients de ma potion. Je l'ai versée dans un petit contenant de plastique propre, et l'ai cachée dans mon sac à dos. Puis je me suis couchée et j'ai éteint la lumière.

Dehors, la pluie et le tonnerre s'étaient mis de la partie. C'était la plus grosse tempête automnale de l'année. Et mon cœur battait toujours la chamade.

— Tiens, essaie ça, ai-je simplement dit à Robbie lundi matin, en lui tendant mon contenant de potion.

— Qu'est-ce que c'est… de la sauce à salade ? Qu'est-ce que je suis censé faire avec ce truc ?

— C'est un nettoyant pour le visage que ma mère m'a offert, ai-je menti. Et ça marche.

Nos regards se sont croisés une seconde, puis j'ai tourné les yeux en me demandant si j'avais l'air aussi coupable que je me sentais, de ne pas lui dire la vérité. En un sens, je me servais de lui comme cobaye.

— Ouais, OK, a-t-il répondu, mettant le contenant dans son sac.

— C'était bien le cercle samedi soir ? ai-je demandé à Bree dans la salle de classe. Je suis désolée d'avoir raté ça. J'ai essayé de t'appeler pour que tu me racontes la soirée.

— Oh! j'ai eu ton message. Je suis allée en ville avec mon père hier, et nous sommes rentrés tard. Désolée. Il fallait que je me fasse couper les cheveux.

Ses cheveux n'avaient pas tellement changé, sauf peut-être qu'il en manquait un demi-centimètre.

— Ah oui! c'est magnifique. Dis, est-ce que ça avance avec Cal?

— Cal est... fuyant, a-t-elle fini par avouer. Il joue les intouchables. J'ai essayé d'être seule avec lui, mais c'est impossible.

J'ai hoché la tête, espérant que mon expression de sympathie puisse cacher mon soulagement.

— Ouais! ça commence à m'énerver sérieusement, a-t-elle ajouté en faisant la moue.

J'avais envie de lui confier que j'avais fabriqué une potion pour Robbie et que j'attendais de voir les résultats. Mais les mots refusaient de sortir de ma bouche. Combiné aux sentiments que j'éprouvais pour Cal, c'était le deuxième secret que je cachais à ma meilleure amie.

* * *

Mercredi matin, comme d'habitude, Bree et d'autres membres du cercle étaient assis sur les bancs jouxtant l'école. Tandis que je m'avançais vers eux, j'ai senti le regard réprobateur de Raven sur moi, mais Cal semblait tout à fait sincère en m'invitant à m'asseoir.

— Je suis vraiment désolée pour samedi, ai-je dit, en m'adressant surtout à Cal. J'étais prête à partir quand cette femme, une collègue de ma mère, a téléphoné et insisté pour venir chercher des pancartes. Ça lui a pris une éternité. J'étais hors de moi.

— J'ai déjà entendu ton excuse, m'a interrompue Raven, et je la trouve boiteuse.

Je m'attendais à ce que Bree se lève pour prendre ma défense, comme c'est la coutume entre meilleures amies fidèles et solidaires, mais elle n'a rien fait.

— T'en fais pas pour ça, Morgan, a répondu Cal simplement, dissipant ainsi le malaise qui flottait dans l'air.

Au même moment, Robbie est venu nous rejoindre et tous les yeux se sont tournés vers lui. Il avait le teint aussi pur que l'enfant qu'il avait été avant la puberté.

Bree était bouche bée ; de toute évidence, elle n'en croyait pas ses beaux yeux noirs.

— Robbie, dit-elle, qu'est-ce qui t'arrive ? Tu es… superbe.

Robbie a jeté son sac à dos par terre. Je l'ai regardé avec attention. Il avait le visage presque complètement lisse. Je lui aurais donné 7 sur 10, alors qu'hier encore, il aurait reçu un mince 2 sur 10.

Cal le regardait, l'air songeur. Puis il a levé les yeux sur moi, comme s'il avait deviné, comme s'il savait tout. Mais c'était impossible, alors je me suis tue.

Pas un mot à qui que ce soit, ai-je prié mentalement Robbie. Ne parle à personne du produit que je t'ai donné. Intérieurement, j'étais ravie, émerveillée et fébrile. Donc, ma potion avait fonctionné ? Quoi d'autre ? Pendant des années, Robbie avait vu un dermatologue, sans amélioration notable. Deux jours à peine après lui avoir donné ma potion, son teint était magnifique. Est-ce que ça voulait dire que j'étais devenue une sorcière? Non, c'était impossible, puisque mes parents n'étaient pas des sorcières de sang. Ça, j'en étais sûre. Mais, tout compte fait, peut-être avais-je un petit don pour la magye.

Jenna et Matt venaient de rejoindre notre bande.

— Bonjour les amis, a dit Jenna, tandis qu'un coup de vent lui arrachait un frisson et faisait virevolter ses mèches folles autour de son visage. Salut Robbie, a-t-elle ajouté, en l'examinant comme pour comprendre ce qu'il avait de différent.

— Quelqu'un a un exemplaire du livre *Le Bruit et la fureur*? a demandé Matt, en cachant ses mains dans les poches de sa veste en cuir noir. Je ne trouve plus le mien, et il faut que je le lise pour le cours de littérature.

— Tu peux prendre le mien, a répondu Raven.

— OK, merci

Plus personne n'a parlé de l'apparence de Robbie, mais celui-ci n'arrêtait pas de me regarder d'un drôle d'air. Pour qu'il se calme, je l'ai fixé droit dans les yeux et il a fini par regarder ailleurs.

Le vendredi, alors que son teint était lisse et clair, sans la moindre trace de cicatrice, que tous nos camarades avaient pu constater qu'il n'avait plus la face comme une pizza, et que soudain, toutes les filles de sa classe s'étaient rendu compte qu'il n'était pas vilain du tout, Robbie a décidé de révéler mon secret à tout le monde.

Vendredi après-midi, dans mon parterre, je balayais les feuilles en m'émerveillant de la beauté des feuilles d'érable ; j'admirais leurs couleurs vives, leurs marbrures et leurs fines veinules. Certaines feuilles étaient encore à moitié vertes, et j'imaginais qu'elles avaient dû être surprises de se retrouver si tôt au sol. D'autres étaient complètement sèches et brunes, tachetées de rouge, comme si l'écorce les avait écorchées dans leur chute. D'autres encore étaient flamboyantes, jaunes, orangées et cramoisies, et parmi elles, des feuilles trop jeunes pour mourir, mais venues au monde trop tard pour vivre longtemps.

J'ai déposé une feuille aussi grande que ma main dans ma paume. Ses couleurs me réchauffaient la peau et, en fermant les yeux, je retrouvais la chaleur des chaudes journées d'été, la joie d'être caressée par le vent, puis l'effrayante ténacité de l'automne qui s'installe et force la terre à prendre du repos. La senteur de la terre, la communion avec la terre…

Soudain, j'ai senti la présence de Cal et j'ai cligné des yeux.

— Qu'est-ce qu'elle te raconte? a-t-il demandé, sa voix flottant jusqu'à moi du bas de l'escalier.

J'ai sursauté comme un lapin et je suis tombée à la renverse. Puis, en levant les yeux, j'ai vu Mary K. qui indiquait à Cal, Bree, et Robbie où me trouver.

Je les ai regardés dans la lumière décroissante de l'après-midi. J'ai jeté un coup d'œil autour pour retrouver ma feuille, mais elle était partie. Je me suis relevée en me secouant les mains et les fesses.

— Qu'est-ce qui se passe? ai-je demandé, les regardant avec curiosité.

— On voudrait te parler, a commencé Bree. Elle avait l'air distante, voire blessée; elle avait les lèvres serrées et le visage crispé.

— Je leur ai tout dit, a avoué Robbie sans ménagement. Je leur ai dit que tu m'avais donné une potion artisanale dans un contenant, et que c'est cela qui avait guéri mon acné. Et je... je veux savoir ce qu'il y avait dans ce mélange.

J'étais consternée. J'avais l'impression qu'ils me jugeaient. Il ne me restait plus qu'à leur dire la vérité.

— De l'herbe aux chats... avec de la camomille, de l'angélique et, hum, du romarin et du concombre. De l'eau bouillante, et deux ou trois autres trucs.

— Yeux de triton et peau de crapaud? s'est moqué Cal.

— C'était un sortilège? a demandé Bree en fronçant les sourcils.

J'ai fait signe que oui. J'avais baissé la tête et je donnais des coups de pied dans les feuilles.

— Oui, un sortilège de débutant que j'ai trouvé dans un livre, ai-je avoué en regardant Robbie. Je m'étais assurée que cela n'aurait pas d'effet nuisible. Je ne te l'aurais jamais donné si j'avais pensé que ça aurait pu te faire du mal. En fait, je pensais que ça ne ferait rien du tout.

En regardant Robbie, je me rendais compte qu'il pourrait être physiquement très attrayant. Sans ses épaisses lunettes et avec une bonne coupe de cheveux, il serait vraiment canon. Son acné nous avait fait oublier la finesse de ses traits. À présent, sa peau était parfaitement lisse, sinon pour de minuscules lignes sombres ça et là, comme si la guérison se poursuivait tranquillement. Je le regardais fixement, fascinée par le pouvoir de ma potion.

— Raconte-nous comment tu t'y es prise ? a demandé Cal.

La porte moustiquaire s'est ouverte et ma mère est apparue dans l'embrasure.

— Hé ! chérie, le souper sera prêt dans 15 minutes.

— OK ! ai-je répondu, et elle est rentrée, ayant l'air de se demander qui était ce
garçon qu'elle n'avait encore jamais vu.

— Morgan, a dit Bree.

— Je ne sais pas comment expliquer ce
qui est arrivé ai-je dit lentement en regardant les feuilles au sol. Je vous ai parlé de
l'abbaye et de son jardin d'herbes. Ce
jardin... j'ai eu l'impression qu'il me
parlait.

J'avais rougi en prononçant ces mots.

— J'ai eu envie... d'en savoir davantage
sur les herbes, d'apprendre à les connaître.

— Connaître quoi exactement, a insisté
Bree.

— J'ai beaucoup lu sur les propriétés
médicinales et magiques des herbes. Cal
avait dit que j'étais un... canal énergétique.
Je voulais seulement savoir ce qui se
passerait.

— Et je t'ai servi de cobaye, a dit Robbie,
sur un ton neutre.

J'ai levé les yeux sur lui, mon ami
Robbie que je reconnaissais à peine.

— J'étais tellement déçue d'avoir
manqué deux cercles de suite. Je voulais

travailler un peu de mon côté. J'avais décidé d'essayer un sortilège tout simple. Je veux dire, je n'allais pas tenter de changer le monde. Je ne voulais rien tenter d'énorme ou d'effrayant. Il fallait que je choisisse un petit sortilège, quelque chose de positif, quelque chose dont je pourrais évaluer les résultats rapidement.

— Comme un projet scientifique, a précisé Robbie.

— Je savais que cela ne te ferait pas de mal, ai-je répété. Ce n'étaient que des herbes inoffensives et de l'eau.

— Et un sortilège, a ajouté Cal.

J'ai hoché la tête.

— Quand as-tu fait cela, m'a interrogée Bree.

— Dimanche soir, à minuit. J'étais déprimée d'avoir été confinée à la maison samedi soir, durant le cercle.

— S'est-il produit quelque chose quand tu as accompli ton rituel, s'est enquis Cal, en me regardant avec intérêt.

Je sentais monter la colère de Bree.

— La tempête faisait rage dehors, ai-je répondu en haussant les épaules.

Je ne voulais pas mentionner les chandelles qui s'étaient éteintes ou le bruit assourdissant du tonnerre.

— Tu contrôles le temps qu'il fait maintenant, a dit Bree, blessée.

— Ce n'est pas ce que j'ai dit, ai-je répondu en grimaçant.

— De toute évidence, ce n'était qu'une bizarre coïncidence, a-t-elle ajouté sur un ton tranchant. Tu n'as pu guérir l'acné de Robbie; bon sang, c'est de la foutaise! Cal, dis-le lui. Aucun d'entre nous ne pourrait faire un truc pareil. Toi-même, tu ne pourrais pas faire ce genre de miracle.

— Non, je pourrais, l'a contredite Cal sans arrogance. Des tas de gens le pourraient, même sans pratique. Sans même être des sorcières de sang.

— Mais, Morgan n'y connaît absolument rien, a insisté Bree, la voix brisée. Avoue-le, a-t-elle ajouté en me regardant.

— Non, bien sûr que non, ai-je acquiescé calmement.

— Nous avons affaire ici à une débutante exeptionnellement douée, a expliqué Cal en réfléchissant. En fait, je suis plutôt content que cela se soit produit, car il faut que nous en parlions.

Il a mis sa main sur mon épaule.

— Il n'est pas permis de jeter un sortilège à quelqu'un, sans qu'il le sache. Ce n'est pas une bonne idée et ce n'est pas sans danger. Et puis, ce n'est pas juste.

Il avait dit cela sur un ton particulièrement solennel, et j'ai hoché la tête, embarrassée.

— Je suis vraiment désolée, Robbie. Je ne sais même pas comment renverser ce sortilège. C'était stupide.

— Doux Jésus, je ne veux pas que tu le renverses, s'est écrié Robbie, tout à coup inquiet. J'aurais seulement aimé que tu m'en parles avant. Ça m'a foutu la trouille.

— Morgan, je crois vraiment que tu devrais étudier davantage avant de commencer à jeter des sorts, a poursuivi Cal. Mieux vaut avoir une vision d'ensemble, plutôt que partielle. Tu sais, tout est relié et tout ce que tu fais affecte tout le reste, alors il faut absolument que tu saches ce que tu fais.

J'ai fait signe que oui. Je me sentais affreusement mal. J'étais si impressionnée que mon sortilège ait marché, que je n'avais pas réfléchi une seconde aux conséquences que cela aurait pu avoir sur le reste du monde.

— Je ne suis pas un grand prêtre de la magye, a ajouté Cal, mais je peux t'enseigner ce que je sais. Après, si tu le veux, tu pourras poursuivre ton apprentissage avec un autre professeur.

— Oui, je le veux, ai-je répondu spontanément.

Mais, en voyant l'expression sur le visage de Bree, j'aurais souhaité ne pas avoir répondu avec autant d'enthousiasme et d'assurance.

— Samhain, l'Halloween est dans huit jours, a repris Cal en laissant retomber sa main. Si possible, participe aux cercles. Penses-y bien.

— T'es pas mal forte, Rowlands, s'est exclamé Robbie en secouant la tête. Tu es le Tiger Woods de la Wicca.

Je n'ai pu m'empêcher de sourire, mais le visage de Bree était toujours aussi crispé.

Lorsque maman a cogné dans la vitre pour me dire que le souper était prêt, je lui ai fait signe de la main.

— Je suis désolée, Robbie, ai-je répété. Je ne le ferai plus jamais.

— Tu m'en parleras avant, c'est tout, a dit Robbie sans amertume.

J'ai raccompagné mes trois amis jusqu'à la sortie en leur faisant traverser toute la maison.

— Au revoir, ai-je lancé au moment où Cal croisait mon regard une fois de plus.

Dans huit jours, ce serait l'Halloween.

19

Un rêve

« Les sorcières peuvent s'envoler sur leurs balais enchantés, qui n'ont pas été fabriqués uniquement pour balayer. »

— *Sorcières et démons*
Jean-Luc Bellefleur, 1817

Les signes sont là. C'est certainement une sorcière de sang. Je vois filtrer une lumière blanche à travers les pores de sa peau. C'est beau et effrayant tellement c'est puissant. Dans ce Livre des ombres, j'affirme que je l'ai trouvée. Je ne m'étais pas trompé. Louée soit-elle !

Ce soir-là, tante Eileen est arrivée à l'heure du souper sans s'être annoncée.

Après le repas, elle est restée avec moi dans la cuisine, pour m'aider à tout ranger.

Tandis que je frottais les assiettes dans l'évier, je me suis entendue lui demander :

— Comment as-tu découvert que tu étais gaie ?

Eileen a eu l'air aussi surprise que moi.

— Pardon, me suis-je reprise aussitôt. Oublie que je t'ai posé la question. Ça ne me regarde pas.

— Non, ça va. Tu as le droit de me le demander. D'une certaine manière, je m'étais toujours sentie un peu différente en grandissant. Je ne me sentais pas comme un garçon, rien de ce genre. Je savais que j'étais une fille, et ça me convenait parfaitement. Mais, je ne m'étais même pas aperçue que les garçons existaient.

Elle avait plissé le nez en disant cela, et ça m'a fait rire.

— Mais je ne crois pas avoir compris que j'étais lesbienne avant le début du secondaire, lorsque je suis tombée amoureuse.

— D'une fille ?

— Oui. Bien sûr, elle ne ressentait pas la même chose pour moi. D'ailleurs, je ne lui ai jamais adressé la parole et je n'ai jamais tenté quoi que ce soit. J'avais l'impression d'être cinglée. Je pensais que quelque chose ne tournait pas rond chez moi, que j'avais besoin d'aide, de voir un psy. Peut-être même de prendre des médicaments.

— C'est affreux.

— C'est seulement une fois à l'université que je me suis réconciliée avec cette idée et que j'ai fini par avouer, à moi et à tout mon entourage, que j'étais lesbienne. J'avais consulté un thérapeute et il m'avait aidée à voir qu'il n'y avait rien d'anormal chez moi. J'étais faite comme ça. Cela n'a pas été facile. Mes parents — tes grands-parents — étaient horrifiés et fâchés. Ils ne pouvaient pas l'accepter. Je les décevais. C'est difficile, tu sais, lorsque tes propres parents sont totalement déroutés et embarrassés par ce que tu es au plus profond de ton être.

Je n'ai rien dit, mais je me reconnaissais dans ce qu'elle avait vécu.

— En tout cas, ils m'ont donné du fil à retordre. Ils n'étaient pas méchants, et ils n'ont pas cessé de m'aimer, non... sauf qu'ils ne savaient pas comment réagir. Leur attitude a beaucoup changé depuis, mais je ne corresponds toujours pas à ce qu'ils auraient souhaité. Ils ne veulent même pas parler du fait que je suis lesbienne, encore moins de mes fréquentations. C'est le déni total, a-t-elle expliqué en haussant les épaules. Je n'y peux rien. J'ai compris que plus j'accepte la situation et plus je m'accepte moi-même, moins il y a de frictions dans ma vie et moins je suis stressée et malheureuse.

Je l'admirais.

— Tu en as fait du chemin, tantine, me suis-je exclamée, et elle a ri de bon cœur.

Puis, m'entourant les épaules de son bras, elle m'a serrée très fort.

— Dieu merci, il y a ta mère et ton père, toi et Mary K. Je ne sais pas ce que je serais devenue sans vous, a-t-elle ajouté, soudain très émue.

J'ai passé le reste de la soirée assise sur le tapis de ma chambre à réfléchir. Je savais que je n'étais pas lesbienne, mais je comprenais comment ma tante pouvait se sentir. Je commençais à me sentir différente de ma famille et de mes amis, car j'étais fortement attirée par une chose qu'ils avaient du mal à accepter.

Je sentais que si je me donnais la permission de devenir une sorcière, je serais plus détendue, plus naturelle, plus forte et sûre de moi que jamais. Je savais aussi que je ferais de la peine à ceux que j'aimais le plus au monde.

Cette nuit-là, j'ai fait un rêve terrifiant.

C'était la nuit. Le ciel était parsemé de larges bandes de lumière, où les nuages prenaient de mystérieux tons d'aubergine, de gris et d'indigo. L'air était froid et je sentais une brise glaciale sur mon visage et mes bras nus, tandis que je survolais Widow's Vale. C'était magnifique là-haut, calme et paisible, le vent sifflant dans mes oreilles, mes longs cheveux flottant derrière moi, ma robe fouettant mes jambes et découpant ma silhouette dans le ciel nocturne.

J'entendais de plus en plus clairement une voix qui m'appelait, une voix remplie d'effroi. Je survolais la ville en dessinant de grands cercles tel un faucon; je piquais du nez pour ensuite me laisser flotter sur de gros courants d'air. Dans la forêt, à la limite nord de la ville, la voix se rapprochait. Je me suis laissée porter vers le bas, au point de toucher la cime des arbres. Puis, apercevant une éclaircie au milieu de la forêt, je me suis posée avec grâce sur un seul pied.

La voix était celle de Bree. Je l'ai suivie jusqu'à une source souterraine qui émergeait de la terre, sans se transformer en ruisseau, mais sans jamais s'assécher complètement. L'endroit était juste assez humide pour que les moustiques puissent s'y reproduire, que les champignons y prolifèrent, et qu'une mousse verte et tendre brille comme l'émeraude sous la lune.

Bree était retenue dans ce marais par une grosse racine noueuse qui s'était enroulée autour de sa cheville. Centimètre par centimètre, elle s'enlisait dans cette eau marécageuse. Avant le lever du soleil, elle aurait disparue, noyée.

Je lui ai tendu la main. Sous la lumière lunaire, mon bras était lisse et fort, musclé et couvert d'une peau argentée. J'ai pris la main qu'elle me tendait. Elle était gluante. Une puanteur d'eau stagnante se dégageait d'elle, et j'entendais le bruit d'aspiration que faisait la boue autour de sa cheville.

Bree haletait, l'énorme racine serrant de plus en plus fort sa cheville douloureuse.

— Je n'y arrive pas, j'ai trop mal.

Avec ma main libre, je faisais des mouvements ondulatoires pour prendre mon élan. Puis, j'ai senti un pincement dans ma poitrine : la magye opérait. Je respirais très fort, et dans l'air glacial de la nuit, ma sueur était froide sur ma peau. Bree pleurait et me suppliait de ne pas l'abandonner.

J'agitais la main dans cette matière visqueuse afin que la racine puisse se dénouer, s'ouvrir, se détendre et relâcher son emprise sur la cheville de mon amie. Je tenais bon, l'attirant vers moi comme si j'étais une sage-femme et que Bree sortait du ventre du marais.

Puis elle a poussé un cri, son visage s'est éclairé, et ensemble, nous nous sommes élevées dans les airs avec grâce, sans le moindre effort. Sa robe et ses jambes étaient couvertes de limon verdâtre, et dans le contact de nos mains, je pouvais sentir sa cheville douloureuse. Mais elle était sauve. Je l'ai emportée à la limite de la forêt, où je l'ai déposée avant de reprendre mon envol. Je l'ai laissée là, pleurant de soulagement et de reconnaissance. Elle m'a regardée partir, m'élever toujours plus haut dans le ciel, jusqu'à ce que je ne sois plus qu'un point et que l'aurore commence à paraître.

Puis, je me suis retrouvée dans une pièce sombre et rustique, semblable à une grange. J'étais une enfant. Bébé Morgan. Une femme me berçait, assise sur une botte de foin. Ce n'était pas ma mère, mais elle me berçait en répétant sans cesse : « mon bébé ». Je la regardais avec mes grands yeux ronds d'enfant ; je l'aimais et je sentais l'immensité de son amour.

Je me suis réveillée, tremblante et épuisée. J'avais l'impression de combattre une grippe ; l'impression que j'aurais pu me recoucher et dormir pendant un siècle.

— Ça va mieux ? a demandé Mary K., cet après-midi-là.

Je m'étais levée et m'étais habillée autour de midi, puis j'avais accompli toutes sortes de tâches ménagères.

Je pensais à Cal, à Bree et à tous ceux qui participeraient au cercle ce soir-là, et je mourais d'envie d'y aller. Cal s'attendait sans doute à ce que j'y sois, après ce qui était arrivé hier. En fait, il fallait vraiment que j'y aille.

— Oui, ai-je répondu.

Puis, prenant le téléphone pour appeler Bree, j'ai ajouté :

— J'ai mal dormi et ce matin, en me réveillant, j'avais mal à la tête.

Mary K. avait mis sa tasse de chocolat au lait dans le four micro-ondes.

— Ouais, alors, tout va bien maintenant ?

— Bien sûr, pourquoi ?

Elle s'est appuyée contre le comptoir et a pris une gorgée de son chocolat chaud.

— Depuis quelque temps, j'ai l'impression qu'il se passe des choses.

J'ai coincé le combiné contre mon épaule sans avoir composé le numéro.

— Genre?

— Eh bien, je sens que tu fais des choses qui m'échappent, a-t-elle dit spontanément. Pas que j'aie à tout savoir sur ta vie... Tu es l'aînée; tu as toujours fait des trucs différents. Mais... a-t-elle hésité en se grattant le front, tu ne prends pas de drogue, dis?

Je découvrais soudain comment une fille de 14 ans pouvait interpréter ce qu'elle voyait. Bien sûr, Mary K. était mature pour son âge, mais quand même. J'étais sa grande sœur, elle voyait à quel point j'étais tendue, et elle se faisait du souci pour moi.

— Oh! Mary K., je t'en prie, ai-je dit en la serrant dans mes bras. Non, je ne prends pas de drogue. Je n'ai pas de relations sexuelles, je ne fais pas de vol à l'étalage ou rien de tel. Je le jure.

Elle s'est reculée.

— C'était quoi ces livres alors, qui ont tant fait rager maman ? a-t-elle demandé de but en blanc.

— Je te l'ai dit : des livres sur la Wicca. Des trucs écolos très avant-gardistes.

— Alors, pourquoi était-elle dans tous ses états ?

J'ai pris une profonde respiration et me suis tournée vers elle.

— La Wicca est la religion des sorcières.

Elle a écarquillé ses beaux yeux bruns, qui ressemblaient tant à ceux de notre mère.

— Pour vrai ?

— Il y est surtout question de vivre en harmonie avec la nature. De se mettre d'accord sur des choses qui existent déjà autour de nous. Le pouvoir de la nature. Les forces vives.

— Morgan, la sorcellerie, n'est-ce pas comme les œuvres de Satan ? a-t-elle demandé, horrifiée.

— Absolument pas, ai-je repris aussitôt, en la regardant dans les yeux. Satan n'est nulle part dans la Wicca. Et il est complètement interdit de faire de la magie noire ou d'essayer de nuire à quelqu'un. Tout ce que tu envoies dans le monde te sera rendu au centuple ; alors tout le monde essaie de faire le bien, tout le temps.

Mary K. paraissait encore inquiète, mais elle était tout ouïe.

— Écoute, ceux qui pratiquent la Wicca essaient d'être de bonnes personnes et de vivre en harmonie avec la nature et leurs semblables.

— Et ils dansent nus, a-t-elle ajouté, l'air sceptique.

J'ai levé les yeux au ciel.

— Tout le monde ne fait pas ça, et si tu veux tout savoir, je préférerais être dévorée vivante par des bêtes sauvages. Pratiquer la Wicca, c'est agir selon tes principes, poser des gestes avec lesquels tu es à l'aise, vouloir participer : pas de sacrifices d'animaux, pas de culte satanique, pas de danse à poil si tu n'en as pas envie ; pas de drogues, et pas d'épingles plantées dans des poupées vaudoues.

— Alors, pourquoi maman est-elle si contrariée ?

— Je crois que c'est parce qu'elle ne sait pas vraiment de quoi il s'agit. Ensuite, parce que nous sommes catholiques, et qu'elle a peur que je veuille changer de religion. Sinon, je ne sais pas. Sa réaction a été beaucoup plus viscérale que je ne l'aurais imaginé. Je crois que j'ai touché une corde sensible.

— Pauvre maman, a murmuré Mary K.

— Écoute, j'ai essayé de respecter ses sentiments, mais plus j'en apprends sur la Wicca, plus je suis convaincue qu'il n'y a rien de mal là-dedans. Il n'y a aucune raison d'avoir peur. Il faudra bien que maman finisse par me croire.

— C'est chiant ! Qu'est-ce que je vais faire s'ils me posent des questions ?

— Tu leur diras ce que tu ressens le besoin de dire ; je ne te demande pas de mentir.

— Merde, a-t-elle fait en secouant la tête.

Puis, en rinçant sa tasse, elle a ajouté :

— Tu sais qu'on va souper chez tante Margaret? Elle a appelé ce matin pendant que tu dormais.

— Oh, non, je crois que je ne peux pas, ai-je répliqué, en pensant au cercle.

Je ne pouvais pas me permettre d'en rater un autre.

— Allô chérie! Comment te sens-tu? m'a demandé maman en entrant dans la cuisine, tenant un panier de linge sur sa hanche.

— Beaucoup mieux. Maman, je ne peux pas aller souper chez tante Margaret ce soir. J'ai promis à Bree d'aller chez elle.

J'avais proféré ce mensonge sans la moindre hésitation.

— Oh, a dit maman, mais tu peux lui téléphoner tout de suite pour annuler. Margaret aimerait tellement te voir.

— Je veux la voir aussi, mais j'ai déjà promis à Bree de l'aider à étudier ses maths.

Dans le doute, le meilleur prétexte est encore les devoirs et les leçons.

— Bon, bon, a fait maman, l'air de se demander si elle devait insister davantage.

Tu as 16 ans après tout, et tu n'es pas obligée de nous suivre dans toutes les réunions de famille.

Maintenant, je me sentais terriblement coupable.

— J'ai promis à Bree, tu sais, ai-je ajouté sans conviction. Elle a eu une mauvaise note à son dernier examen, et elle a peur d'échouer.

Mary K. n'avait pas perdu un mot de cet échange, et j'aurais souhaité qu'elle ne soit pas là.

— OK, a répété maman. Ce sera pour une autre fois.

En sortant de la cuisine, j'ai senti le regard inquisiteur de Mary K. sur moi. J'ai grimpé l'escalier jusqu'à ma chambre, me suis laissée tomber sur mon lit, et j'ai étreint mon oreiller.

20

La rupture

« Les hommes sont des guerriers-nés, mais lorsqu'elles entrent dans la bataille, les femmes sont assoiffées de sang. »

— Vieux dicton écossais

La maison de Matt, où le cercle devait se réunir, était à une douzaine de kilomètres de la ville. Quand Bree est venue me prendre, j'ai tout de suite senti qu'elle en avait gros sur le cœur. Moi aussi d'ailleurs. Après mon rêve de la veille, j'étais soulagée de voir qu'elle se portait bien, mis à part le lourd silence qui régnait entre nous.

Je pensais aux heures innombrables que nous avions passées ensemble en voiture, d'abord avec nos parents, puis avec le grand frère de Bree et enfin, depuis que nous avions obtenu notre permis de conduire, seules toutes les deux. C'était en roulant, lorsque nous étions seules, que nous avions eu nos meilleures conversations. Mais ce soir, c'était différent.

— Pourquoi ne m'avais-tu rien dit à propos du sortilège que tu avais jeté à Robbie?

— J'ai jeté un sortilège dans la potion, pas à Robbie, ai-je cru bon de préciser. Et je n'en ai parlé à personne parce que j'étais certaine que ça ne fonctionnerait pas. Je ne voulais pas perdre la face.

— Crois-tu vraiment que ç'a marché? a-t-elle demandé, en continuant de fixer la route devant nous.

— Je... oui, je le crois. Surtout parce que je ne vois pas ce qui aurait pu donner ce résultat. Lundi, son teint était affreux; à présent, il est magnifique. Je ne vois pas ce qui aurait pu causer cela.

— Te prendrais-tu pour une sorcière de sang, par hasard?

J'avais l'impression de subir un interrogatoire ; alors j'ai ri, histoire de faire retomber la tension.

— Bree, franchement... oui, c'est ça. Je suis une sorcière de sang et mes parents viennent tout juste de s'acheter un nouveau pentacle qu'ils ont suspendu à la cheminée du séjour.

Bree se taisait. Je sentais que sa colère était sur le point d'exploser, mais je n'arrivais pas à en deviner la cause.

— Quoi ? Qu'est-ce que tu penses, Bree ?

— Je ne sais pas quoi penser.

Ses jointures étaient blanches à force de serrer le volant. Puis, d'un mouvement brusque, elle s'est garée en bordure de la route. Elle a arrêté le moteur et s'est tournée vers moi.

— Je n'en reviens pas de ton visage à deux faces.

Je la fixais.

— Tu dis que tu n'aimes pas Cal, que je peux lui courir après. Mais vous discutez tout le temps, vous vous dévorez des yeux comme si vous étiez seuls au monde.

J'ai voulu répliquer, mais je n'en ai pas eu le temps.

— Il ne me regarde jamais ainsi, a-t-elle ajouté tranquillement, le visage malheureux. Je ne te comprends pas. Tu ne viens pas aux cercles, mais tu jettes des sorts dans le dos de tes amis! Tu crois-tu meilleure que nous? Te crois-tu spéciale à ce point?

J'étais bouche bée.

— Je participerai au cercle ce soir. Et tu sais parfaitement que si je n'y étais pas les dernières fois, c'est à cause de la réaction de mes parents. Cette potion, ce n'était qu'une petite expérience, un jeu. Je ne pouvais pas deviner ce qui arriverait.

— Tu as fait tes expériences en te servant de Robbie comme cobaye!

— C'est vrai! Et j'ai eu tort! ai-je répondu en hurlant presque. Mais aujourd'hui, il est 100 fois plus mignon qu'avant. Est-ce criminel?

Nous sommes restées assises en silence, la colère de Bree s'apaisant peu à peu.

— Écoute, ai-je repris au bout d'une minute, même si ç'a marché, je sais que je n'aurais pas dû donner cette potion à Robbie. Cal a dit que je n'en avais pas le droit, et je comprends pourquoi. C'était une erreur stupide. J'étais bouleversée, mélangée, et je voulais... je voulais seulement... savoir.

— Savoir quoi?

— Si je suis... spéciale. Si je possède un don.

Elle a regardé par la vitre sans répliquer.

— Tu sais Bree, je vois les auras des gens. Bon sang! Bree, j'ai guéri l'acné de Robbie! Ne trouves-tu pas cela extraordinaire?

Elle a secoué la tête en serrant les dents.

— Tu perds la tête, a-t-elle marmonné.

Je ne reconnaissais plus mon amie. Ce n'était plus la Bree que j'avais connue.

— Qu'est-ce qui se passe, Bree? ai-je demandé en essayant de retenir des larmes de rage. Pourquoi es-tu aussi en rogne contre moi?

— Tu n'es pas honnête envers moi. J'ai l'impression de ne plus te connaître a-t-elle dit en regardant de nouveau par la fenêtre.

Je ne savais pas quoi dire.

— Bree, je te l'ai déjà dit. Je pense que toi et Cal feriez un beau couple. Je ne cherche pas à le séduire. Je ne lui téléphone jamais. Je ne m'assois jamais à côté de lui.

— Pas besoin, il est toujours après toi. Peux-tu m'expliquer pourquoi ?

— Parce qu'il veut que je devienne une sorcière.

— Pourquoi toi ? Il se fout pas mal que Robbie ou moi devenions des sorcières. Pourquoi joue-t-il aux devinettes avec toi ? Pourquoi te prend-il dans ses bras pour te baigner dans la piscine ? Pourquoi te dit-il sans cesse que tu as un don pour la magye ? Pourquoi jettes-tu des sorts ? Tu n'es même pas une apprentie sorcière, encore moins une sorcière.

— Je ne sais pas, ai-je répondu, énervée. On dirait que quelque chose s'éveille en moi. Une chose que je ne soupçonnais pas. Et j'ai envie de comprendre ce qui m'arrive… ce que je suis.

Bree est restée silencieuse un moment. Dans le noir, je percevais toutes sortes de petits bruits : le faible tic tac de ma montre ;

la respiration de Bree, les clics métalliques de Brise dont le moteur refroidissait. Puis, j'ai senti qu'une ombre menaçante avançait sur moi et, instinctivement, je me suis redressée.

— Je ne veux pas que tu viennes au cercle ce soir, a dit Bree.

J'ai senti ma gorge se serrer.

Bree a retiré un fil de son pantalon de soie bleu et commencé à examiner ses ongles.

— Je croyais vouloir vivre cela avec toi, mais je me trompais. Ce que je veux vraiment, c'est que la Wicca devienne *mon* truc. J'ai assisté à tous les cercles. C'est moi qui ai trouvé la boutique Magye pratique. Je veux que la Wicca soit pour moi et Cal. Ta présence le distrait. Surtout depuis que tu as fait ton petit cinéma avec ta potion. Je ne sais pas comment tu t'y es prise, mais Cal ne parle plus que de ça. Ça suffit.

— Tu blagues, ai-je murmuré. Bon sang, Bree! Es-tu en train de me dire que c'est Cal ou moi. Tu détruis notre amitié pour un garçon?

Les larmes me montaient aux yeux. Je les ai essuyées avec rage, refusant de pleurer devant elle.

— Tu ferais la même chose si tu aimais Cal, a ajouté mon amie, qui semblait moins bouleversée que moi.

— Conneries ! c'est des conneries ! Je ne ferais jamais ça, ai-je hurlé.

Elle a redémarré la voiture et a fait demi-tour, en faisant crisser les pneus.

— Un jour, tu comprendras à quel point tu as été stupide, ai-je ajouté, amère. Tu consommes les garçons comme les pointes de pizza. Quand tu en auras assez de Cal, tu le jetteras comme les autres. Ce jour-là, je vais te manquer. Mais je ne serai plus là pour toi.

Cette idée a semblé l'ébranler un moment. Puis, d'une voix ferme, elle a repris :

— Tu t'en remettras. Quand Cal et moi sortirons vraiment ensemble et que la poussière aura retombé, ce sera une toute autre histoire.

— Tu te fais des illusions, ai-je dit les dents serrées. Nous allons où comme ça ?

— Je te ramène chez toi.

— Tu dérailles, ai-je lancé, en ouvrant ma portière avant l'arrêt de la voiture. Bree a eu peur. Elle a appuyé sur les freins et j'ai failli me cogner la tête contre le tableau de bord.

— Merci pour le *lift*, Bree.

J'ai détaché ma ceinture et suis sortie en claquant la porte aussi fortement que je le pouvais. Bree est repartie en trombe et a fait demi-tour une autre fois pour reprendre la direction de chez Matt. Je suis restée seule sur le bord de la route, tremblant de colère et de peine.

Durant les 11 années où nous étions les meilleures amies du monde, nous avons eu nos hauts et nos bas. En première, elle avait trois biscuits au chocolat dans sa boîte à lunch et moi deux biscuits aux figues. Comme elle refusait d'échanger ses trois biscuits contre les miens, je les lui avais arrachés et je les avais mis tous les trois dans ma bouche. Je ne sais plus laquelle des deux avait été la plus consternée. On ne s'était plus parlé pendant une longue semaine interminable, puis je lui avais

offert six feuilles de papier à lettres déco-
rées d'un magnifique B coloré à la main, et
les choses s'étaient arrangées.

En sixième année, elle avait voulu
copier mon examen de maths, et je lui avais
dit non. On ne s'était pas parlé pendant
deux jours. Elle avait triché en copiant celui
de Robbie, et on n'en avait plus jamais
reparlé.

L'année dernière, en secondaire 3, nous
avions eu notre pire dispute de tous les
temps au sujet de la photographie. La photographie était-elle vraiment une forme
d'art, dans lequel n'importe quel idiot
possédant un appareil photo pouvait réaliser, à l'occasion, une image époustou-
flante. Je n'entrerai pas dans les détails,
mais cela avait culminé en une horrible
dispute avec cris et hurlements, dans notre
cour arrière, jusqu'à ce que maman sorte
de la maison pour nous calmer.

On ne s'était pas parlé pendant deux
semaines et demie, jusqu'à ce que chacune
de nous signe un document disant que sur
cette question, nous étions d'accord pour

demeurer en désaccord. J'ai toujours ma copie de la promesse qu'on s'était faite.

La soirée était froide. J'ai remonté la fermeture éclair de ma veste et mis mon capuchon. Je suis partie en direction de chez Matt, mais c'était beaucoup trop loin, et j'ai fait demi-tour pour rentrer chez moi. Les larmes ont commencé à couler sur mon visage ; je ne pouvais plus m'arrêter de pleurer. Pourquoi Bree me traitait-elle si mal ?

La lune était basse et si claire que j'en distinguais les cratères. J'écoutais les bruits de la nuit : insectes, animaux, oiseaux. Malgré l'obscurité, je voyais et j'entendais tout avec une grande acuité. Je voyais les insectes courir sur les troncs d'arbres à plus de cinq mètres de distance et dans les branches, les nids d'oiseaux d'où dépassaient les petites têtes rondes et duveteuses des oisillons. Je percevais le battement syncopé de leur cœur minuscule, qui semblait répondre à celui, plus lent, plus lourd, de mon propre cœur.

J'ai baissé le volume de mes sens. J'ai fermé les yeux, mais les larmes continuaient de couler. Je pleurais parce que je ne voyais pas comment Bree et moi pourrions réparer les pots cassés, cette fois-ci. Je pleurais aussi parce que je savais qu'elle finirait par avoir Cal ; elle allait tout faire pour arriver à ses fins.

Je pleurais à en avoir mal au ventre, car cela voulait dire que je devais refermer en moi toutes les portes qui venaient tout juste de s'ouvrir.

21

La ligne mince

« Chaque fois qu'une chose vous inspire de
l'amour, que ce soit une pierre, un arbre, un
amoureux ou un enfant, vous êtes touché par
la magye de la Déesse. »

— Sabina Falconwing,
dans un café de San Francisco, 1980

Tôt le lendemain matin, Robbie a
téléphoné.

— Qu'est-ce qui se passe ? a-t-il
demandé. Hier soir, Bree nous a dit que tu
ne participerais plus jamais aux cercles.

Le fait que Bree ait pu prétendre que
j'allais lâcher prise si facilement m'a mise

en rogne. J'ai ravalé ma rage avant de répondre :

— Ce n'est pas vrai. C'est ce qu'elle voudrait. Mais pas moi. On fête Samhain samedi prochain, et j'ai bien l'intention d'y être.

— Qu'est-ce qui ne va pas entre vous deux, vous êtes les meilleures amies du monde, non ?

— Ne cherche pas à comprendre, ai-je dit, laconiquement.

— T'as raison. Je ne tiens pas vraiment à le savoir. De toute façon, on doit se réunir de l'autre côté du champ de maïs où on a fêté Mabon. C'est à 23 h 30, et pour ceux qui veulent devenir apprentis du nouveau cercle, l'initiation est prévue pour minuit.

— Ouah ! OK ! Est-ce que tu veux être initié ?

— On n'est pas vraiment censés en parler ; ni même prendre une décision tout de suite. Cal dit qu'il faut y réfléchir, chacun pour soi. Oh ! et chacun doit apporter quelque chose. J'ai parlé en ton nom et j'ai dit que tu apporterais des fleurs et des pommes.

— Merci, Robbie. D'autres consignes ?

— Porter du noir ou de l'orangé. À demain alors.

— Oui, à demain. Merci encore.

Ce jour-là, à l'église, c'était du pareil au même. Le père Hotchkiss a fait un sermon où il était question de résister à la tentation afin que le démon n'ait pas accès à notre âme.

Je me suis penchée pour chuchoter à l'oreille de Mary K. :

— Il parle pour lui. Gare au démon qui vous guette.

Elle a souri, se cachant derrière son programme.

Je me demandais si le fait d'adopter les principes de la Wicca pourrait jamais m'empêcher de remettre les pieds à l'église. J'ai décidé que non. Je savais que cela me manquerait si je n'assistais plus à la messe. Je savais également que mes parents me tueraient. Façon de parler. Plus tard dans ma vie, si je devais choisir entre l'une ou l'autre, je le ferais. Je pensais à ce que Paula

Steen avait voulu dire lorsqu'elle affirmait que, dans n'importe quoi, c'est ce qu'on y met qui compte.

J'écoutais les hymnes et l'orgue de Mme Lavender. C'était ainsi depuis que maman était enfant. J'aimais les chandelles, l'encens, les processions où les prêtres étaient vêtus d'or et les enfants de chœur de blanc. J'avais été enfant de chœur pendant deux ans, puis Mary K. avait pris la relève. Tout cela était si réconfortant, si familier.

Après la messe et le brunch au Widow's Diner, je devais aller à l'épicerie avec la liste de maman. J'ai fait un petit détour jusqu'à Red Kill, à la boutique Magye pratique. Je n'avais pas l'intention d'acheter quoi que ce soit et je n'ai rencontré personne, mais je suis restée un moment à lire des trucs sur Samhain. J'avais décidé que j'apporterais une chandelle noire samedi, le noir aidant à éloigner la négativité. Pour tout dire, j'ai eu envie d'acheter des dizaines de chandelles noires pour Bree.

J'étais toujours très en colère contre elle. J'avais du mal à croire qu'elle était assez arrogante pour penser pouvoir m'exclure du cercle. Cela ne faisait que souligner le fait que dans notre relation, c'était elle qui avait toujours tout décidé. J'avais suivi sans dire un mot. Je m'en rendais compte maintenant, et je m'en voulais d'autant plus.

Je craignais d'aller au collège le lendemain.

— Puis-je vous aider ?

Une vieille dame au visage avenant, un peu plus petite que moi, me regardait en souriant. J'ai décidé de foncer.

— Hum, oui. Il me faut une chandelle noire pour célébrer Samhain.

— Certainement, a-t-elle dit, me faisant signe de la suivre. Tu as de la chance, il nous en reste quelques-unes. Elles se sont envolées comme des petits pains chauds la semaine dernière.

Elle m'en a montré deux : un gros cierge d'environ 30 centimètres, et une chandelle mince de 36 centimètres.

— N'importe laquelle fera l'affaire, a-t-elle dit. Le cierge durera plus longtemps, mais la chandelle est très élégante.

Le cierge était beaucoup plus cher.

— Je choisis la… le cierge, ai-je répondu. Je voulais dire la chandelle, mais la langue m'a fourché. La dame a acquiescé d'un signe de tête.

— Je crois que le cierge veut repartir avec toi… a-t-elle dit comme si c'était normal pour une bougie de choisir son propriétaire. Ce sera tout?

— Oui.

Je la trouvais moins sournoise et plus sympathique que l'autre commis.

— À votre avis, quel genre de fleurs devrais-je apporter pour Samhain?

Elle m'a souri en faisant sonner la caisse enregistreuse.

— Celles qui voudront que tu les achètes, a-t-elle répondu d'un air enjoué.

Puis, elle a plongé son regard dans le mien, comme pour y lire quelque secret.

— Es-tu… Tu dois être la fille dont David m'a parlé...

— Qui est David?

— L'autre commis de la maison. Il m'a dit qu'une jeune sorcière vient parfois ici en prétendant ne pas en être une. C'est toi, n'est-ce pas? Tu es une amie de Cal?

— Hum,… ai-je fait, subjuguée.

— Oui, c'est bien toi. Je suis ravie de te rencontrer. Je m'appelle Alyce. Si tu as besoin de quoi que ce soit, viens me voir. Pendant quelque temps, ton chemin sera semé d'embûches.

— Qu'est-ce qui vous fait croire ça ? ai-je demandé, pendant qu'elle emballait ma bougie.

— Je le sais, c'est tout, a-t-elle répliqué, l'air surpris. On *sait* parfois les choses sans savoir comment on le sait. Tu comprends de quoi je parle.

Je me suis tue. J'ai pris mon sac et me suis pratiquement enfuie, à la fois fascinée et énervée par ce qu'elle venait de me dire.

Lundi matin, comme pour défier le sort, je suis allée rejoindre le groupe de la Wicca. Je me suis assise en laissant tomber mon sac à dos à côté de moi. Loin d'être surprise par ma présence, Bree ne m'a même pas regardée.

— Tu nous as manqué samedi soir, a dit Jenna.

— Bree nous a annoncé que tu ne viendrais plus, a ajouté Ethan.

C'était l'ouverture que j'attendais. Je sentais le regard de Cal posé sur moi.

— Non. Je viendrai. Je veux être une sorcière, ai-je dit sans équivoque. Je crois que c'est mon destin.

Jenna a pouffé nerveusement. Cal a souri, et je lui ai rendu son sourire, consciente que Bree s'en mordait les lèvres.

— C'est super, s'est écrié Ethan, en faisant signe à Sharon de me ménager une petite place.

En soupirant, Sharon s'est déplacée, et Ethan lui a fait un sourire complice. En observant leur petit manège, j'ai compris ce qui se passait. Je n'en revenais pas : Sharon et Ethan ? Pouvaient-ils être attirés l'un par l'autre ?

Puis Tamara s'est pointée.

— Allô, ai-je dit, contente de la voir.

— Salut, a lancé Tamara à la ronde. Hé ! Morgan, as-tu fait le devoir de maths au complet ce week-end ? Je n'ai pas réussi le numéro trois.

— Oui, je l'ai fait. Tu veux qu'on le refasse ensemble?

— Ce serait génial.

— Pas de problème, ai-je répondu en attrapant mon sac à dos. On se revoit plus tard, les amis, ai-je ajouté avant de suivre Tamara jusqu'à la bibliothèque.

Pendant 10 minutes, nous avons décortiqué le problème, Tamara et moi. C'était agréable. Je me sentais presque normale.

— Je suis content que tu participes au cercle de Samhain, a dit Cal.

Je me suis retournée. Cal me suivait à la sortie de la classe de maths. Mon vestiaire était de l'autre côté de la cafétéria, et il fallait que je récupère mes livres pour le labo de chimie.

Je lui ai fait un petit signe de tête, tout en ouvrant mon casier.

— J'ai beaucoup lu sur le sujet et j'ai très hâte.

— Tu te sens prête à être initiée comme apprentie; tu veux faire partie de notre cercle, mais je sais que ce n'est pas simple avec tes parents, a-t-il ajouté en souriant, adossé contre le casier voisin. Tu dois bien y réfléchir.

Je me suis laissée happer par son regard. J'avais l'impression d'être emportée par une grande marée.

— Oui, je veux devenir apprentie, même si tu n'es pas un grand prêtre. Je veux faire partie de ton cercle. J'en meurs d'envie. Hélas! mes parents ont affreusement peur de la Wicca. Ils s'objectent, mais je ne peux plus les laisser décider à ma place. Plus le temps passe, plus je suis sûre de moi.

— Prends le temps de réfléchir, m'a-t-il conseillé.

— J'ai du mal à penser à autre chose, ai-je avoué.

Les yeux toujours plongés dans les miens, il a fait un signe de tête.

— On se revoit au cours de physique.

Je suis restée plantée là, des papillons dans le ventre.

Bree n'était plus mon amie, ce qui me donnait le droit de me poser une question toute simple que je n'avais pas osé me poser jusque-là. Se pourrait-il que Cal m'aime

autant que je l'aimais? Est-ce qu'on pourrait s'aimer, former un couple?

— Vite, vite! Passe-moi le ruban, me
pressait Mary K., perchée tout en haut de
l'échelle.

Nous décorions la salle à dîner pour
l'anniversaire de maman, qui n'allait pas
tarder à rentrer.

— Tiens bon, ai-je dit en entortillant
les deux morceaux de ruban ensemble.
Voilà!

— Papa va rapporter le souper de chez
le traiteur thaï? a demandé Mary K. en
plaçant le ruban.

— Ouais, et tante Eileen va se charger
du gâteau à la crème glacée.

— Miam!

Je me suis reculée. La salle à manger
avait vraiment un air festif.

— Qu'est-ce que vous tramez? a
demandé maman qui venait d'apparaître
dans l'entrée.

Mary K. et moi avons poussé un cri.

— Qu'est-ce que tu fais ici? On n'est
pas prêtes!

— Va te changer et prends ton temps, lui a ordonné Mary K. Il nous faut encore 10 minutes.

Maman regardait autour d'elle en riant.

— Petites cachottières, s'est-elle exclamée, avant de disparaître à l'étage.

L'anniversaire de maman a été très réussi. Elle a déballé ses cadeaux avec un plaisir évident : je lui ai offert une broche celtique, Mary K. un CD, tante Eileen deux livres et papa, des boucles d'oreilles. Je ne reconnaissais plus la furie qui m'avait crié après, quelques semaines plus tôt. En la voyant souffler ses bougies, j'ai eu un pincement au cœur à l'idée de la trahir, en participant au cercle du samedi suivant. Mais ce soir-là, tout le monde s'amusait ferme.

Jeudi, je m'étais installée à la bibliothèque du collège pour lire le chapitre sur Samhain, quand Tamara s'est penchée pour voir le titre de mon livre.

— Tu lis toujours ce truc ? m'a-t-elle demandé amicalement.

— C'est génial, ai-je dit, mais ce mot n'exprimait pas bien ma pensée. Le cercle s'est réuni toutes les semaines, même si je n'ai pas eu la chance d'y aller souvent.

— Comment ça marche? Qu'est-ce que Cal essaie de faire?

J'ai hésité.

— Il essaie de trouver des gens intéressés à former une assemblée de sorcières.

— Une assemblée de sorcières, a répété Tamara, écarquillant les yeux; ça fait un peu peur, non?

— Si tu veux. Mais ce n'est qu'à cause de la mauvaise publicité; en fait, il n'y a rien d'effrayant là-dedans. Son cercle ressemblera davantage à un groupe... d'étude.

Ne sachant plus quoi dire, Tamara a hoché la tête.

— Si on allait au cinéma demain soir, ai-je suggéré.

Un large sourire a éclairé son visage.

— Ce serait super; est-ce que je peux inviter Janice?

— Bien sûr, nous vérifierons ce qui passe à Meadowlark, ai-je suggéré.

J'ai souri, le cœur léger, alors qu'elle poursuivait son chemin.

L'instant d'après, sans vergogne, Bree est venue s'asseoir à côté de moi. Je me suis raidie.

— Détends-toi, a-t-elle dit, je voulais juste te dire que je passe à la phase 2 dans le dossier Bree et Cal. J'ai besoin d'encore un peu de temps, après quoi tu pourras participer au cercle autant que tu voudras.

— Mais de quoi tu parles?

— Je l'ai eu, a-t-elle poursuivi, tout excitée. Il est à moi. Donne-moi quelques semaines et il sera complètement accro. Ensuite, toute cette histoire sera derrière nous.

— Tu blagues! ai-je répondu, me redressant sur ma chaise. Ce ne sera jamais derrière nous. Tu ne comprends pas? Tu as préféré un garçon à notre amitié. Je ne sais pas pourquoi tu me parles encore, ai-je ajouté, en regardant son beau visage qui m'était aussi familier que le mien.

— Je suis venue te dire que tu peux cesser ton petit manège. On s'est dit des choses qu'on ne pensait pas, mais on passera à travers cette petite dispute. Comme toujours. J'ai seulement besoin d'un peu plus de temps avec Cal, a-t-elle ajouté en me tapotant doucement le genou.

J'ai secoué la tête. Tout ce que je souhaitais, c'était qu'elle foute le camp.

— Tu sais de quoi je parle, a-t-elle repris, en surveillant ma réaction. Cal et moi on a couché ensemble. On sort ensemble. Dans quelques semaines, on formera un couple solide. À ce moment-là, si tu en as envie, tu pourras revenir dans le cercle.

C'était comme un coup de poignard, une douleur aiguë dans la poitrine. J'ai ravalé ma salive en massant entre mes deux seins inexistants. Des images de Cal et Bree enlacés se bousculaient dans ma tête me laissant à vif et blessée. Oh, mon Dieu!.

— Je suis contente pour toi, ai-je réussi à dire sans le moindre trémolo dans la voix. Tu peux coucher avec tous les gars du cercle, si ça te chante. Tu ne me diras plus jamais quoi faire. Je serai à Samhain samedi. Vois-tu, Bree, la différence entre toi et moi, c'est que je veux vraiment être une sorcière. Je ne fais pas semblant rien que pour séduire un garçon.

La colère alimentait les mots qui sortaient de ma bouche.

— Comment es-tu devenue une telle salope? a-t-elle demandé.

— J'ai dû te fréquenter trop longtemps.

Elle s'est relevée et s'en est allée, se dandinant avec tant de grâce féminine que je me suis sentie comme une grosse roche à côté d'elle.

C'était donc vrai, ce qu'on disait, que la ligne est très mince entre amour et haine.

22

Ce que je suis

«Prends garde au nouvel an des sorcières. Prends garde à la nuit de leurs rites païens, précédant la Toussaint. Ce jour-là, la ligne est mince entre ce monde et l'autre monde, facile à franchir.»

— *Sorcières, ensorceleurs et magiciens*
Altus Polydarmus, 1618

Ce soir, je prendrai part au cercle de Cal et rien ne pourra m'en empêcher. Je m'affirmerai en tant qu'apprentie. Je sais que ce soir, ma vie changera à tout jamais. Je le sens dans tout ce que je vois, dans tout ce que j'entends.

— Bree n'est pas là? a demandé maman pendant que Mary K. et moi enfilions nos

295

déguisements. Depuis que nous avions finalement admis être trop vieilles pour passer de porte en porte, nous nous rendions à la fête de l'Halloween au collège. Il était à peine 19 h, et des dizaines de pirates, de diables, de princesses, de mariées, de monstres et, bien sûr, de sorcières, s'étaient déjà présentés à notre porte.

— Bonne question, a dit Mary K., en traçant une fausse cicatrice de Frankenstein sur sa joue droite. Je ne l'ai pas vue de toute la semaine.

— Elle est occupée, ai-je répondu tout bonnement, en me brossant les cheveux. Elle a un nouveau petit ami.

— Bree est comme un papillon... a-dit ma mère en gloussant.

C'est une façon de parler, ai-je pensé, sarcastique, tandis que Mary K. commentait mon déguisement.

— C'est tout?

— Je n'arrivais pas à me décider, ai-je admis.

Je m'étais déguisée en moi-même. Tout en noir, mais moi tout de même.

— Pour l'amour, laisse-moi au moins te peindre le visage, a fait maman.

Elles m'ont peint le visage en marguerite. Comme je portais un jean noir et un chemisier noir, j'avais l'air d'une fleur sur une tige flétrie. Mais c'était sans importance. J'ai accompagné ma petite sœur à la fête du collège et nous avons dansé au son d'un groupe plutôt nul. Quelqu'un avait versé de la boisson dans le punch, mais évidemment, les profs s'en sont rendu compte et ont tout jeté sur le terrain de stationnement. Il n'y avait pas un seul membre du cercle, mais j'ai vu Tamara et Janice. J'ai dansé avec Mary K., avec Bakker et avec deux ou trois garçons qui étaient dans mes cours de maths et de sciences. C'était amusant. Rien de très excitant, mais tout de même amusant.

À 23 h 15, nous étions rentrées. Maman, papa et Mary K. sont allés se coucher, et j'ai mis deux oreillers sous mes couvertures avant de me laver le visage. Puis, je suis sortie furtivement dans la nuit noire.

* * *

Cela m'était déjà arrivé de sortir en cachette, avec Bree, pour faire des trucs stupides comme aller manger des beignes dans un petit café ouvert toute la nuit, des bêtises du genre. Ces sorties avaient toujours été amusantes et légères, comme un rite de passage sans conséquences.

Ce soir-là, la lune brillait tel un énorme projecteur ; le vent froid d'octobre me glaçait les os, et je me sentais seule et perdue. En me glissant le long de notre allée, j'ai vu notre grosse citrouille qui avait un air sinistre et glauque dans le clair de lune.

J'ai humé l'air de la nuit, tout en regardant autour de moi pour m'assurer que rien ne bougeait. J'avais envie de mettre mes sens à l'épreuve, histoire de voir s'ils pouvaient capter des signaux, comme une antenne ou un satellite. Les yeux fermés, j'ai tendu l'oreille. J'ai entendu les feuilles sèches qui jonchaient le sol, les écureuils qui couraient à travers les branches. J'ai senti une brise et une petite bruine me caresser le visage. Mais rien d'autre, pas de parents, pas de voisins. Pour le moment, j'étais sauve.

Pour ne pas risquer de réveiller la maisonnée, j'ai dû pousser Das Boot, qui pèse une tonne, en dehors de notre allée. Avant de démarrer, j'ai fermé les yeux encore une fois, me concentrant sur ma famille, et j'ai senti qu'ils dormaient tous à poings fermés, inconscients, sans se douter de mon départ.

Finalement, ma voiture était dans la rue, et c'était plus facile de la pousser et de la contrôler. Je l'ai bougée jusque devant la maison des Herndon, avec la nouvelle rampe d'accès pour le fauteuil roulant de M. Herndon. Je me suis installée à l'intérieur et j'ai mis le contact en ayant une pensée fugace pour les sièges chauffants de Brise. Entre mes mains, Das Boot était comme un animal vivant, excité, prêt à bondir sur la chaussée. Nous sommes parties dans l'obscurité.

En arrivant, je me suis garée sous le chêne, sur le terrain adjacent au champ de maïs. La Beetle rouge de Robbie, le pickup de Matt, la voiture de Bree et celle de Raven étaient là. J'étais nerveuse en sortant de ma voiture et en me dirigeant vers le coffre. Je surveillais sans cesse mes arrières, comme si je m'attendais à ce que Bree — ou pire — se jette sur moi dans le noir. J'ai pris les fleurs, les fruits et le cierge que j'avais apportés et je me suis dirigée vers le champs de maïs de l'autre côté de la route.

Même si j'avais annoncé à Bree et aux autres que je voulais devenir une sorcière, je manquais encore un peu d'assurance à ce moment-là. Mon cœur me pressait de me lancer à corps perdu dans la Wicca, mais ma tête n'avait pas cessé de recueillir de l'information. Et mon cœur était plus fragile que de coutume, blessé par ma dispute avec Bree, par la pensée de Cal la serrant dans ses bras, et par la tristesse de cacher tout cela à mes parents. J'étais si déchirée que j'ai failli tout laisser tomber, faire demi-tour et courir jusqu'à Das Boot.

Puis, j'ai entendu la musique. Un air celtique flottait dans l'atmosphère, emporté par la brise ; un ruban de sons semblant porter un message de paix, de calme et de bienvenue. Je me suis enfoncée dans les longs plants de maïs que le fermier avait laissé sécher sur pied. Je ne me demandais même pas où j'allais comme ça, à quel endroit exactement je devais rencontrer les autres. Je marchais, et après avoir traversé cette grande mer dorée et bruissante, je me suis retrouvée dans une clairière, où le cercle m'attendait.

— Morgan, s'est écriée Jenna joyeusement, en me tendant les mains. Elle rayonnait, et son visage, habituellement joli, était magnifique sous la lumière de la lune.

— Salut, ai-je répondu timidement.

Nous étions neuf et j'avais l'impression que nous allions entreprendre un long voyage ensemble, comme si nous devions escalader l'Everest. Certains d'entre nous n'atteindraient jamais le sommet, mais nous allions amorcer l'ascension ensemble. Soudain, ils me sont tous apparus tels de parfaits étrangers. Robbie était distant et beau comme jamais. Bree était belle et froide, telle une statue à l'effigie de la meilleure amie que j'avais eue. Quant aux autres, nous n'avions jamais été proches. Qu'est-ce que je faisais là ?

J'étais prête à fuir, les muscles de mes jambes tendus comme les cordes d'un arc. Mais lorsque Cal s'est approché de moi, je suis restée clouée sur place. Sans pouvoir m'en empêcher, j'ai souri à Jenna, Robbie et Matt.

— Où est-ce que je peux déposer ça? ai-je demandé en montrant mes fleurs.

— Sur l'autel, a répondu Cal en continuant d'avancer vers moi. Je suis content que tu sois venue, a-t-il ajouté, et il a plongé son regard dans le mien pendant une seconde d'éternité.

Je l'ai fixé ainsi stupidement jusqu'à ce que me revienne en mémoire l'image de Bree avec lui. J'ai repensé à ce qu'elle m'avait raconté, puis j'ai secoué la tête.

— Où est l'autel?

— Par là. Bon Samhain à tous, a lancé Cal, nous faisant signe de le suivre dans le champ de maïs.

Lorsque la lumière de la lune a caressé ses cheveux brillants, ils ont semblé rayonner. Il ressemblait au dieu païen de la forêt dont il était question dans les livres que j'avais consultés. Appartiens-tu à Bree maintenant? lui ai-je demandé en silence.

Au bout du champ, il y avait un immense pré labouré qui descendait en pente douce. Au printemps, il aurait été couvert de fleurs. À présent, il était ocre et moelleux sous nos pas. Au bas de la pente, il y avait un petit ruisseau d'eau très claire, qui s'écoulait doucement sur des galets gris et verts. Nous l'avons franchi sans problème. Cal avait sauté le premier et il aidait les autres à passer ; sa main était chaude et ferme.

Depuis mon arrivée, je surveillais Cal et Bree du coin de l'œil. Je ne pouvais m'empêcher de penser qu'ils avaient couché ensemble. Pourtant ce soir, Cal était toujours le même : détendu et distant. Il ne semblait pas faire particulièrement attention à Bree. En fait, ils n'avaient pas du tout l'air d'un couple, comme Jenna et Matt. Et Bree paraissait terriblement nerveuse. Pire, elle semblait plus amicale avec Raven et Beth.

De l'autre côté du ruisseau, la pente remontait vers une épaisse rangée d'arbres. C'étaient de vieux arbres à l'écorce noueuse, dont les grosses racines couraient dans tous les sens. Sous le couvert des arbres, l'obscurité était quasi impénétrable. Néanmoins, je voyais tout, et je n'ai eu aucun mal à me frayer un chemin dans le sous-bois.

En sortant du bois, nous nous sommes retrouvés dans un vieux cimetière.

J'ai vu Robbie cligner des yeux. Raven et Beth ont échangé un sourire amusé, et Jenna a saisi la main de Matt. Ethan a grogné, puis s'est rapproché de Sharon qui hésitait à aller plus loin. Je savais que Bree se sentait mal, car je peux interpréter la moindre expression de son visage.

— Nous sommes dans un vieux cimetière méthodiste, a dit Cal, qui avait posé la main sur une grande pierre tombale sculptée en forme de croix. Les cimetières sont des endroits de choix pour célébrer Samhain. Ce soir, nous honorons ceux qui sont morts avant nous, et nous reconnaissons que nous devrons à notre tour redevenir poussière, pour pouvoir naître à nouveau.

Il s'est retourné et nous l'avons suivi dans une allée de pierres tombales, jusqu'à ce qui ressemblait à un sarcophage et où, une grosse pierre vieille de centaines d'années, érodée par la pluie, la neige et le vent, recouvrait une boîte en granit. L'inscription était illisible, même à la lumière de la lune.

— Voici notre autel pour ce soir, a repris Cal, se penchant pour ouvrir un sac de jute, d'où il a sorti une nappe qu'il a tendue à Sharon. Peux-tu étendre cette nappe, s'il te plaît?

Sharon a étendu la nappe sur le sarcophage, avec mille précautions. Puis, Cal a mis deux gros candélabres en argent dans les mains d'Ethan, qui les a aussitôt placés sur l'autel.

— Jenna, Robbie, pouvez-vous disposer les fruits et les fleurs? a demandé Cal.

Ils ont rassemblé les offrandes que nous avions apportées et Jenna les a disposées artistiquement sur l'autel, comme dans une corne d'abondance. Il y avait des pommes, des courges d'hiver, une citrouille et un bol de noix que Bree avait apporté.

J'ai pris mes fleurs, je les ai mélangées avec celles de Jenna et de Sharon, puis les ai mises dans des vases de verre, de chaque côté de l'autel. Beth a ramassé des branches pleines de feuilles d'automne et les a disposées sur l'autel, à côté de la nourriture. Raven a recueilli d'autres chandelles que les gens avaient apportées, dont mon cierge noir, et a fait fondre de la cire afin de les fixer sur le sarcophage. Matt a allumé toutes les chandelles. Il n'y avait pas le moindre vent, si bien que les flammes vacillaient à peine dans la nuit. Une fois toutes les chandelles allumées, l'endroit m'a semblé plus menaçant. J'aimais l'idée de rester dans le noir, et je me suis sentie exposée et vulnérable lorsque la lumière des chandelles s'est reflétée sur mon visage.

— Maintenant, venez tous au centre, a demandé Cal. Jenna, Raven, voulez-vous tracer le cercle et le purifier?

J'étais jalouse qu'il les ait choisies et je n'étais sans doute pas la seule. Cal observait leurs mouvements, prêt à intervenir si nécessaire. Mais elles travaillaient avec minutie et, très vite, le cercle a été tracé et purifié avec l'eau, l'air, le feu et la terre.

Enfin de retour dans notre cercle, j'exultais et j'étais pleine d'appréhension. Les seules choses qui gâchaient ma bonne humeur, c'était la sombre rumination de Bree et l'air de supériorité de Raven. J'essayais de les ignorer, de me concentrer uniquement sur la magye, ma magye, et de m'ouvrir aux perceptions qui dépassaient mes cinq sens.

— Notre cercle est maintenant tracé, a dit Jenna sur un ton respectueux.

Nous avons formé une ronde à l'intérieur de cette frontière, et je me suis faufilée entre Matt et Robbie, deux forces positives qui ne risquaient pas de me distraire ou de me perturber.

Cal a pris une petite bouteille et l'a ouverte. En faisant le tour du cercle dans le sens des aiguilles d'une montre, il a trempé ses doigts à l'intérieur, puis a dessiné sur nos fronts un pentacle dans un cercle.

— Qu'est-ce que c'est? ai-je osé demander alors que tout le monde se taisait.

Cal a souri discrètement.

— De l'eau salée, a-t-il répondu, traçant un pentacle sur mon front.

C'était doux et chaud à l'endroit où il avait tracé le pentacle, comme s'il rayonnait de pouvoir.

À la fin, il a repris sa place dans le cercle.

— Ce soir, nous allons former un nouveau cercle de sorcières. Nous nous rassemblons pour célébrer la Déesse et le Dieu, pour célébrer la nature, explorer, créer et adorer la magye, et pour explorer les pouvoirs magyques qui sont en nous et en dehors de nous.

Dans le silence de ce moment, je me suis entendue dire : « Soyons bénis ». Les autres répétèrent ces mots.

Cal a souri

— Quiconque ne voulant pas faire partie de ce cercle doit se retirer immédiatement, a-t-il dit.

Personne n'a bougé.

— Bienvenue. Louée et bénie soit notre rencontre. Ensemble, nous formerons le cercle Cirrus, qui sera notre refuge à tous les 10.

J'ai pensé : Cirrus, c'est un joli nom.

— Vous serez mes neuf novices, c'est-à-dire les apprentis de ce cercle. Je vous enseignerai tout ce que je sais puis, ensemble, nous trouverons de nouveaux professeurs pour pousser plus loin notre grande aventure.

Les seules fois où j'avais entendu le terme novice, cela concernait les prêtres et les religieuses. Sous mes pieds, le sol était dense et spongieux ; au-dessus de nos têtes, la lune était haute et blanche, énorme. De temps en temps, j'entendais pétarader une voiture ou des feux d'artifices. Mais ici, dans notre cercle, un profond silence régnait, brisé seulement par les appels nocturnes des animaux, le battement d'ailes des chauves-souris et des chouettes, et le murmure du ruisseau.

J'étais très calme. Comme si je les avais fait taire une par une, mes peurs et mes incertitudes s'étaient calmées. Mes sens étaient en alerte, et je me sentais extraordinairement vivante. Les chandelles, la respiration de mes amis, le parfum des fleurs et des fruits, tout cela contribuait à créer une merveilleuse connexion avec la nature, la déesse qui est partout autour de nous, omniprésente.

Dans le récipient placé au nord, qui contenait de la terre, Cal avait allumé un bâton d'encens. Très vite, le parfum réconfortant de la cannelle et de la muscade a envahi nos narines. Nous nous sommes pris par la main. Contrairement aux deux autres fois où j'avais participé au cercle, je ne craignais pas ce qui allait se passer. Je gardais l'esprit ouvert.

Les mains de Matt et de Robbie étaient plus grandes que les miennes ; celle de Matt était fine et douce, et celle de Robbie, plus massive que celle de Cal. Je regardais le visage de Robbie, qui était lisse et clair. C'était mon œuvre, et en mon for intérieur, j'étais fière de mon propre pouvoir, et reconnaissante.

Cal a entonné un chant pendant que, autour du cercle, nous avons commencé à tourner dans le sens des aiguilles d'une montre.

Ce soir, nous disons au revoir au Dieu.
Sous terre il demeurera,
Jusqu'à ce qu'il renaisse au soleil
printanier.
Mais pour l'heure, sa vie prend fin.

Nous dansons sous l'éclat sanguin de
la lune,
Neuf fois nous chanterons en chœur ;
Nous dansons pour laisser s'envoler
l'amour de notre cœur.
Et pour consoler la Déesse en son
chagrin.

Nous avons dansé et chanté cet hymne neuf fois en faisant le tour du cercle. Plus j'étudiais la Wicca, plus je réalisais que les sorcières accordaient une valeur symbolique à tout, ou presque : aux plantes, aux nombres, aux jours de la semaine, aux couleurs, aux saisons, et même aux tissus, à la nourriture et aux fleurs. Tout a un sens. En tant qu'apprentie, mon travail consisterait à apprendre ces symboles, à étudier autant que possible la nature qui m'entoure, et à me fondre dans ses modèles et sa magye.

Pendant que nous chantions, je pensais à la fin de la cérémonie, lorsque nous brandirions nos bras vers le ciel pour laisser circuler l'énergie. Une fois de plus, en me rappelant la douleur et la nausée que j'avais ressenties les autres fois, je craignais la suite des événements. Ma belle assurance craquait de toutes parts et la peur me vrillait le cœur. Mon pouvoir me faisait peur.

Puis soudain, pendant que nous tournions en chantant et en projetant nos voix dans l'air du soir, j'ai compris que *ma peur* me ferait souffrir si je n'y renonçais pas sur-le-champ. J'ai respiré profondément en expulsant la chanson de ma gorge et, entourée par l'assemblée des apprentis, j'ai essayé de bannir la peur, de bannir les limites.

Les visages étaient flous. Je sentais que je ne contrôlais plus rien. Je bannis la peur ! Les paroles de notre chant sont devenues indistinctes, se transformant en un rythme magnifique de pur son, s'élevant et retombant en spirales autour de moi. J'avais le souffle court et le visage brûlant, couvert de transpiration. Je voulais enlever ma veste, mes chaussures. Il fallait que j'arrête. Il fallait que je bannisse la peur.

Une dernière note scandée à l'unisson, puis nous nous sommes immobilisés. Ensemble, nous avons levé les bras vers le ciel. J'ai senti une bouffée d'énergie m'envahir. J'ai mis mon poing sur mon cœur, afin de conserver un peu d'énergie pour moi-même. *Je bannis la peur*, ai-je pensé comme dans un rêve, puis la nuit a explosé autour de moi.

Je dansais dans l'atmosphère, entourée de milliers d'étoiles, et je voyais virevolter des particules d'énergie semblables à de microscopiques comètes. L'Univers entier était à ma portée. D'un seul coup d'œil, la moindre particule, le moindre sourire, le plus petit moucheron et chaque grain de sable, tout cela m'était révélé dans son infinie beauté.

Chaque fois que je reprenais mon souffle, j'inspirais l'essence même de la vie, et lorsque j'expirais, une lumière blanche émanait de ma bouche. C'était beau, plus que beau, mais je ne trouvais pas les mots pour l'exprimer. Je comprenais tout : ma place dans l'Univers, le chemin que je devais suivre.

Puis j'ai souri, j'ai cligné des yeux et j'ai expiré une autre fois. J'étais debout dans un cimetière obscur, en compagnie de neuf de mes camarades de classe, et des larmes coulaient le long de mes joues.

— Est-ce que ça va ? a demandé Robbie, soudain inquiet de me voir ainsi.

Au début, je n'entendais qu'un drôle de charabia, puis j'ai compris ce qu'il venait de dire, et j'ai fait signe que oui.

— C'était tellement beau, ai-je dit, d'une voix atone.

Cette vision m'avait épuisée. J'ai tendu la main pour toucher la joue de Robbie, et mon doigt y a laissé une marque chaude et rosée. Il s'est frotté la joue, l'air bouleversé.

Les vases remplis de fleurs étaient sur l'autel, et je m'en suis approchée, hypnotisée par leur beauté et par l'extrême tristesse de leur mort. Lorsque j'ai touché un bouton, il s'est ouvert sous mes doigts, s'épanouissant dans la mort comme il n'avait pu le faire durant sa vie. J'ai entendu Raven haleter et j'ai compris que Bree, Beth et Matt s'éloignaient de moi, à ce moment-là.

Puis Cal est arrivé à mes côtés.

— Ne touche plus à rien, a-t-il dit calmement, sans cesser de sourire. Allonge-toi et reviens parmi nous.

Il m'a guidée vers un endroit du cercle où j'ai pu m'allonger sur le dos. Je sentais la terre battre dans tout mon être, libérant l'énergie accumulée et m'aidant à me sentir plus... normale. Mes perceptions se sont recentrées, je distinguais clairement notre cercle, les chandelles, les étoiles, les fruits qui étaient redevenus de simples fruits, et non plus des gouttes d'énergie pure.

— Qu'est-ce qui m'arrive ? ai-je soufflé.

Cal s'est assis en tailleur derrière moi, a posé ma tête sur ses genoux et s'est mis à me caresser les cheveux. Robbie s'est agenouillé à côté de lui. Ethan, Beth et Sharon s'étaient rapprochés et me regardaient par-dessus son épaule, comme on regarde un tableau dans un musée. Craintive, Jenna tenait Matt par la taille. Raven et Bree se

tenaient plus loin ; Bree, les yeux écarquillés, avait l'air grave.

— Tu as fait de la magye, a dit Cal en
fixant sur moi ses yeux dorés. Tu es une
sorcière de sang.

Lentement, j'ai ouvert les yeux ; son
beau visage me cachait la lune. Tout en
plongeant son regard dans le mien, ses
lèvres ont touché les miennes, et j'ai compris qu'il me donnait un baiser. Mes bras
me semblaient lourds lorsque j'ai voulu me
pendre à son cou pour lui rendre son baiser.
Nous nous sommes enlacés et, partout
autour de nous, la magye crépitait.

En ce moment de pure félicité, je ne me
demandais pas ce que le fait d'être une sorcière de sang pouvait signifier pour moi ou
ma famille. Je ne me demandais même pas
ce que pouvait signifier pour Bree ou
Raven, que Cal et moi soyons unis par la
magye. C'était ma première leçon de sorcellerie, et je l'avais apprise à la dure : voir
les choses dans leur ensemble et ne pas se
laisser aveugler par une petite partie d'un
grand tout.

Extrait du Livre 2
Le cercle

1

Après Samhain

Je confie ce livre à mon incandescente Bradhadair, ma fée du feu, pour son quatorzième anniversaire. Bienvenue dans le cercle Belwicket.

Avec tout mon amour.

Mathair.

Ce livre est privé. N'y touchez pas.

Imbolc, 1976

Voici un charme facile pour amorcer mon Livre des ombres. Je l'ai emprunté à Betts Johnson, sauf que j'utilise des chandelles noires, alors qu'elle se sert de chandelles bleues.

Pour chasser une mauvaise habitude

1. Allumez les chandelles sur l'autel.

2. Allumez une chandelle noire. Dites : « Ceci m'empêche d'avancer. C'est terminé. Je ne le referai plus jamais. »

3. Allumez une chandelle blanche. Dites : « C'est ma force, mon courage et ma victoire. J'ai déjà remporté cette bataille. »

4. Pensez à la mauvaise habitude dont vous voulez vous défaire. Imaginez-vous libéré de cette mauvaise habitude. Au bout de quelques minutes de victoire imaginaire, rangez la chandelle noire, puis la blanche.

5. Répétez le processus, une semaine plus tard si nécessaire. Vous obtiendrez de meilleurs résultats durant la lune décroissante.

Je l'ai mis en pratique jeudi dernier; cela faisait partie de mon initiation. Je ne me suis plus rongé les ongles depuis.

— Bradhadair

Je me suis réveillée tranquillement, le lendemain de Samhain. J'ai essayé de faire fi de la lumière du jour, mais très vite, rien à faire, j'étais complètement réveillée.

Ma chambre baignait dans la pénombre. C'était le premier jour de novembre et l'automne avait chassé la chaleur de l'été. Je me suis étirée et, submergée par une vague de souvenirs et de sensations fortes, je me suis redressée dans mon lit.

Frissonnante, j'ai revu Cal penché sur moi pour m'embrasser. Je me suis vue lui rendant son baiser en le tenant par le cou, mes doigts caressant ses cheveux si doux. Le contact était établi, notre magye, l'électricité, les étincelles, la façon dont l'Univers gravitait autour de nous... J'ai pensé : je suis une sorcière de sang. Je suis une sorcière de sang ; Cal m'aime ; et j'aime Cal. C'est ainsi.

La veille au soir, j'avais reçu mon premier baiser, trouvé mon premier amour. J'avais aussi trahi ma meilleure amie, semé la zizanie dans mon nouveau cercle, et compris que mes parents me mentaient depuis toujours.

Tout cela s'était passé le jour de Samhain, le 31 octobre, le nouvel an des sorcières. Mon nouvel an, ma nouvelle vie.

Je me suis laissée retomber sur mon oreiller, entre mes draps de flanelle si doux et rassurants. La nuit dernière, j'avais vu mes rêves se réaliser. Je savais cependant, et cela me donnait froid dans le dos, que j'en paierais le prix. Je me sentais beaucoup plus vieille que mes 16 ans.

Sorcière de sang... Cal dit que je suis une sorcière de sang, et après ce qui s'est passé la nuit dernière, après ce que j'ai fait, comment pourrais-je en douter ? Ce doit être la vérité. Je suis une sorcière de sang. Dans mes veines circule le sang hérité de milliers d'années de pratique de la magye, de milliers de mariages entre sorciers. Je suis l'une d'eux, l'héritière de l'un des Sept grands clans : les Rowanwand, les Wyndenkell, les Leapvaughn, les Vikroth, les Brightendale, les Burnhide, et les Woodbane.

Mais lequel ? Les Rowanwand, à la fois professeurs et détenteurs du savoir ? Les Wyndenkell, experts dans l'écriture des

sortilèges? Les Vikroth? Les Vikroth
étaient des guerriers magiques, qui ont été
par la suite apparentés aux Vikings. Cette
idée m'a fait sourire, car je ne me sentais
pas l'âme très guerrière.

Les Leapvaughn étaient espiègles; ils
aimaient jouer des tours. Le clan des
Burnhide se servait de pierres précieuses,
de cristaux et de métaux pour faire de la
magye. Les Brightendale étaient des guérisseurs; ils recouraient à la magie des plantes
pour soigner les maladies. Il y avait aussi
les Woodbane; cette idée me donnait la
chair de poule. Je ne pouvais pas appartenir au clan de la noirceur, à ces terribles
sorciers qui voulaient le pouvoir à tout prix,
qui guerroyaient et trahissaient les autres
clans dans le but de contrôler la terre, le
pouvoir de la magye, le savoir.

Je réfléchissais. Si je faisais réellement
partie de l'un des Sept grands clans, je me
sentais plus proche des Brightendale, les
guérisseurs. J'avais découvert que j'aimais
les plantes, qu'elles m'inspiraient, que
c'était tout naturel pour moi de faire appel
à leurs pouvoirs magiques. Je souriais aux

anges, recroquevillée dans mon lit. Une Brightendale. Une vraie sorcière de sang.

Ce qui signifie que mes parents sont forcément des sorciers de sang eux aussi, pensais-je. C'était une idée étonnante. Je me demandais pourquoi, d'aussi longtemps que je pouvais me souvenir, nous étions allés à l'église chaque dimanche. J'aimais aller à la messe, c'était beau, traditionnel et réconfortant. Mais pour moi, la Wicca avait quelque chose de plus... naturel.

De nouveau, je me suis assise dans mon lit. Deux images me revenaient sans cesse à l'esprit : Cal penché sur moi, son regard doré plongé dans le mien. Et Bree, ma meilleure amie : le choc et la peine sur son visage lorsqu'elle nous a vus ensemble, Cal et moi. L'accusation, la blessure et l'envie. La rage dans ses yeux.

Qu'est-ce que j'ai fait ? ai-je pensé.